Susie Morgenstern

L'orpheline dans un arbre

Médium

l'école des loisirs

11, rue de Sèvres, Paris 6e

Du même auteur à *l'école des loisirs*

Collection MÉDIUM

Les treize tares de Théodore
Trois jours sans
Barbamour
Margot mégalo
L'Arméloque
La première fois que j'ai eu seize ans
Terminale! Tout le monde descend

ISBN 978-2-211-07948-8

© 2005, l'école des loisirs, Paris,
Loi n° 49.956 du 16 juillet 1949 sur les publications
destinées à la jeunesse : septembre 2005
Dépôt légal : avril 2007
Imprimé en France par Bussière
à Saint-Amand-Montrond
N° d'édit. : 7988. N° d'impr. : 071156/1.

Pour Jerome A. Shamrock

14 décembre (Bâiller)

C'est un truc fou, un concours. Ce qui est fou, c'est de l'avoir gagné. Et d'abord, d'avoir concouru. Mais au départ, on se dit qu'on n'a rien à perdre: «Décrivez la vie d'une famille californienne en trois cents mots.»

Je pense que ce qui m'a attirée vers ce concours – en dehors du fait que la prof nous a forcés à y participer –, c'était le mot «famille», «vie de famille». Que ce soit en Californie ou à Tombouctou, c'est la chose qui me manque, la seule chose. On dit «famille» et je fonds. Je passe une grande partie de ma vie à lire les sagas familiales et à regarder les séries télévisées ou les films dans lesquels la vie de famille apparaît comme un rêve de bonheur. On veut toujours ce qu'on n'a pas.

Dans mon école, tout le monde est orphelin puisque c'est une pension pour orphelins. Et moi aussi, je suis orpheline.

Oh, ne pleurez pas sur mon sort, comme on a l'habitude de le faire quand on entend le mot morose «orphelin». Avant d'avoir la mauvaise idée de se tuer dans leur avion privé, mes parents m'ont donné de solides bases d'amour. Dommage que ça n'ait duré que deux ans et demi et que je ne me souvienne pas très bien d'eux. C'est ma grand-mère qui a pris la relève jusqu'à mes six ans, mais elle aussi m'a lâchée. Elle reste très vivante dans mon cœur. Je n'ai qu'une seule photo de nous deux et je la porte toujours dans mon sac. Nous avons le même visage, les mêmes yeux verts, la même crinière châtain roux.

Je bénéficierais d'une quantité illimitée d'argent et de biens, mais dans une pénurie totale de tantes et de tontons. Ma grand-mère,

Perle, se sachant condamnée par le cancer, a organisé mon avenir dans cette pension unique au monde pour orphelins fortunés. Ce n'est pas toujours un oxymore. Les familles d'orphelins richissimes se battent pour caser ici leurs rejetons esseulés.

L'école est luxueuse au-delà du luxe. Nos chambres ne sont pas des chambres, mais des appartements plutôt cinq étoiles que trois. Les directeurs ont voulu nous faire vivre dans les meubles de nos parents. Ces meubles sont, pour la plupart d'entre nous, des pièces de musée.

Hollywood n'aurait pas pu imaginer une pension qui approche la mienne dans sa démesure, sans parler des conditions matérielles. Les ordinateurs sont remplacés tous les six mois, les repas gastronomiques cuisinés par de grands chefs, des week-ends sont organisés dans les villes européennes les plus culturelles, ainsi que des soirées avec de grands concertistes (on est obligé d'apprendre un instrument de musique ici) ou des chanteurs d'opéra.

Mes camarades de classe – on est six en seconde – sont de vrais potes. On nous appelle les Sacrés Six. Cinq filles et un garçon, Ambroise. Ses parents ont juste eu le temps de lui donner ce prénom infect avant de disparaître. Eux, c'était dans un accident de voiture. Tous nos parents ont eu une mort violente et rapide, en duo. C'est curieux. C'est peut-être la maladie des riches, avec leurs avions et leurs voitures à grande vitesse. Pour les parents de Juliette, c'était leur yacht, qui a sombré dans le grand bleu.

Avec six élèves dans chaque cours, avec des profs qui viennent tous systématiquement du pays de la langue qu'ils enseignent, les DVD en VO, les séjours linguistiques, les échanges et la qualité de notre enseignement, nous parlons très bien l'anglais (et l'allemand, l'espagnol et l'italien aussi!) On a commencé en CP. Nos cours sont dignes du Club des Six – c'est un vrai club. On s'assoit autour de la table, ou dans des fauteuils douillets, ou même sur la plage avec la prof. Pendant le festival de Cannes, nous rencontrons des vedettes de cinéma. Je vous le jure, j'ai déjeuné ou dîné avec les dieux de Hollywood. J'ai honte, mais vraiment, ça fait plaisir. On a eu des chefs d'entreprise et même Bill Gates, qui, je pense, est ou a été l'homme le plus riche du monde avec son Microsoft. Il nous a offert la dernière version de son logiciel plein de bogues. Ils sont tous très sympas avec nous. Il faut dire que nous sommes des interlocuteurs de choc. Les riches et célèbres aiment les riches et célèbres, surtout orphelins.

Notre prof d'anglais, Gillian, une Anglaise, était aux anges quand elle a reçu la nouvelle: son bonheur d'avoir la gagnante dans sa classe était contagieux et je dois dire que tout le monde était content pour moi. Il y a peu de jalousie parmi nous. Il n'y a pas de notes et pas de compétition. On a tous les mêmes avantages, en plus de ce même manque familial...

– Tu nous raconteras!

— Tu feras mieux que ça. Tu rédigeras un carnet de bord, comme d'habitude.

Il faut dire que les carnets de bord, les journaux «intimes», tout ce qui s'écrit est monnaie courante dans notre école. Lire et écrire! C'est comme manger et respirer.

Ma valise était ouverte, tout le monde m'apportait des cadeaux. Même si personne n'était jaloux, chacun a dit à tour de rôle: «Veinarde!»

«Vie de famille américaine». Quel rêve! Juliette a eu la bonne idée de mettre dans ma valise des fraises Tagada pour les enfants de «ma» famille. Ambroise y a placé le parfum Poème pour la mère. Agnès a pensé à des stylos effaceurs pour les ados. «Ils n'ont sûrement pas ça, les Amerloques!» Catherine m'a donné deux bouquins en anglais pour l'avion, et Bérengère deux cadeaux: un peignoir pour «être la Frenchie élégante au petit déjeuner» et des tampons, car j'étais la dernière de la bande à attendre ce fléau béni.

Noël, donc, dans une famille. C'est curieux que l'administration de notre école n'y ait pas pensé plus tôt. Peut-être voulait-elle éviter de nous faire miroiter trop clairement ce que nous n'avons pas. Une fois par an, on reçoit des orphelins étrangers pendant un mois. Chacun de nous «adopte» un orphelin du même sexe qui dort dans nos appartements et intègre nos cours et nos activités. C'est comme si un handicapé ne pouvait fréquenter que les handicapés, comme si l'enfance «normale» était une maladie contagieuse.

Ça me faisait un peu mal au cœur d'abandonner les copains pour les fêtes. Nous avons nos rites à nous, les courses ensemble, la cuisine commune. Car on arrive à faire la fête quand même. En l'absence d'une famille, on recrée une famille. Pour me faire pardonner mon abandon, j'ai pris les commandes de cadeaux à rapporter des États-Unis. Puis on s'est embrassés comme si on n'allait jamais plus se revoir. Ils m'ont accompagnée jusque dans la limousine de service et ils ont agité leurs mains jusqu'à ce que je les perde de vue.

C'est le chauffeur de l'école, André, qui m'a conduite à l'aéroport de Nice. Il faisait nuit noire. Et je me disais que vingt-quatre heures après, je serais à San Francisco. Il y avait des voyageurs qui patientaient dans une queue serpentine pour faire enregistrer leurs bagages et se faire accorder un siège. Mon «prix» ne me payait qu'une place en classe économique. De mon hublot, j'ai vu s'éloigner Nice et la Côte d'Azur, avec la certitude qu'il n'y a pas de plus beau paysage sur terre vu du ciel. C'était la première fois que je ne voyageais pas en première classe. Je sortis mon cahier de bord et je bâillai.

15 décembre (Enrager)

Ceux qui rêvent de voyager ne voyagent jamais, c'est sûr. Car voyager est un cauchemar. On est coincé à sa place, dans un siège pour nain où l'on vous sert un repas pour Martien anorexique, et où il faut rester immobile pendant toute la durée du trajet. Je passe le temps non pas à lire les deux livres de Catherine ni à parler à mes voisins, mais à surveiller l'écran de télé où le petit avion bouge d'un millimètre toutes les trois heures.

Et je pense au garçon américain de la famille qui me reçoit. Il m'envoie des lettres depuis l'annonce des résultats du concours. C'est un vrai poète, ce Jeremiah. Il a l'air plutôt mûr. Il me parle des paysages, des couchers de soleil, des arcs-en-ciel, des fleurs sauvages avec un tel lyrisme que je me demande si un tel garçon existe vraiment. Sensible, sensé, sensuel, drôle aussi, et cultivé.

Je suis tellement avide de faire bonne impression qu'à l'annonce de l'atterrissage je me lave, je me maquille et je mets la robe de rechange que j'ai gardée dans mon sac en cabine. J'ai toujours admiré ces femmes qui débarquent des longs voyages aussi fraîches que des top models de magazines.

« *Welcome to the USA.* » Des tas de sourires. La bonne humeur légendaire des Américains est au rendez-vous. Le fonctionnaire qui tamponne mon passeport me souhaite une bonne santé et beaucoup de bonheur.

« Une famille américaine ». Dans la foule des gens groupés à la sortie, il n'y a pas le moindre petit sous-groupe qui pourrait passer pour une famille. Mais il y a un personnage solitaire qui arbore un panneau marqué CLARA-CAMILLE, les prénoms de mes

deux parents. Clara-Camille Caramel, et, surtout, ne faites pas de remarques sur mon
patronyme.

Cette personne n'est pas le bel adolescent
grand et musclé que j'imaginais, mais un
homme qui doit avoir dans les soixante-quinze
ans bien tassés, avec deux petits buissons de
cheveux gris au-dessus des oreilles. Ses yeux
sont étincelants derrière les demi-lunes de
ses lunettes, son sourire accueillant, son nez
copieux. Il ouvre grands ses bras et me dit
«bonedjour» en français comme si c'était tout
son vocabulaire à la fois. Il me dit avec des mots
simples combien il est content de m'accueillir.
Je lui fais mon sourire le plus charmeur. Si je
suis étonnée d'être accueillie par un vieillard,
lui aussi a l'air complètement décontenancé.

Bon, ils ont envoyé le grand-père me
chercher à l'aéroport, histoire de le faire participer. Moi qui comptais me jeter dans les bras
du divin Jeremiah, je dois patienter un petit
peu. Que faire d'autre? Cet homme en tout

cas est sociable à l'extrême. Il s'est fait des amis en m'attendant. Il me présente à pleins d'inconnus et distribue des *good bye, enjoy, have fun!* avant de me fourrer dans sa Volvo break où l'on caserait au bas mot trois cercueils. Il démarre et me noie d'emblée sous un fleuve d'explications que normalement je comprendrais si je n'étais pas aussi vaseuse après ce long voyage. Ce qui pénètre néanmoins ma brume mentale, c'est que nous avons à peu près trois heures de route à faire. Une musique classique retentit dans l'auto et, à chaque nouveau morceau, papy m'informe de qui la joue et de qui l'a composée. En traversant un pont, il plaisante avec l'encaisseur du péage.

— *How's business?*

Et l'autre lui fait:

— Ha, ha, ha!

Après quoi, je m'endors pendant deux heures ou plus. De toute façon, il fait nuit et le paysage n'est rien que du noir avec six files de voitures rampant toutes à la même vitesse.

Finalement, la voiture s'arrête devant un grand portail et nous montons vers ce que papy appelle le ranch. Un long chemin de terre nous conduit à une autre grille. J'imagine que la «vie de famille» se cache là derrière. Je me vois sautant dans les bras de Jeremiah, puis embrassant la mère et le père et la sœur dont il m'a parlé. Mais la maison est résolument noire et déserte. Seul l'occupe un chien gigantesque, qui veut sauter sur moi. J'ai une trouille qui frôle l'angoisse. Si le racisme est une peur de l'autre, je suis raciste envers les animaux. Même envers la vache solitaire, qui erre sur la propriété. Et les chats! J'ai carrément une phobie des chats. C'est la terreur. Je n'ai jamais fréquenté d'animaux, autre lacune de mon éducation.

Papy prend ma valise et je le suis. J'ai quelques scrupules à utiliser un vieillard comme porteur, mais celui-là a l'air en pleine forme. Il pose mes bagages dans ce qu'il appelle la «chambre de la princesse» et au milieu de laquelle trône un lit à baldaquin. Je ne sais pas pourquoi, j'ai toujours rêvé d'un lit à baldaquin, accessoire qui me semble effectivement royal. Celui-ci est haut avec des voilages imprimés de coquelicots. C'est ma fleur préférée. On dirait que la chambre est toute neuve, rénovée en mon honneur et faite exprès pour moi. Un tapis rouge en forme de cœur sur une moquette douce, des aquarelles de paysages de France, des fleurs fraîches sur le bureau en acajou, un fauteuil profond et douillet, tout ici a été préparé avec soin et presque minutie. Mais aucune trace de vie collective. Pas de vêtements qui traînent ni de bottes crottées. Où est ma famille californienne?

— Tu veux peut-être te rafraîchir et défaire tes valises?

Papy me montre la salle de bains, fonctionnelle et jolie.

— Je vais préparer un casse-croûte. Tu dois avoir faim.

Je n'en peux plus, il faut que je lui pose la question.

— Vivez-vous seul ?

— Malheureusement, oui. Je suis divorcé. Mes enfants sont grands, et loin.

Coup de tonnerre ! Pourquoi défaire ma valise, puisque je vais repartir ? Quelle arnaque ! Sûrement, le secrétariat de mon école a vérifié ma «famille» d'accueil. Je prendrai contact dès que je reprends mon souffle.

Je n'enlève qu'une seule chose de mon sac de cabine et je la mets soigneusement sous l'oreiller. Il n'y a que cinq personnes au monde qui connaissent mon trésor secret, mes cinq amis. J'ai honte, mais je ne peux pas vivre sans. C'est mon doudou, le foulard de ma grand-mère, qui ne me quitte jamais. Une fois ce joyau en sûreté, je me débarbouille, puis me laisse guider par mon nez jusqu'à la cuisine. Il faut dire que ça sent bon !

Papy est en train de faire griller des steaks épais dans une poêle et sauter des pommes dans une autre, ainsi que des légumes dans une troisième. Tous les brûleurs sont couronnés de casseroles. Sur la table − mise pour deux −, il y a une salade, du pain chaud avec du beurre. Papy ressemble à un grand chef concentré sur sa sauce. Néanmoins, il prend le temps de me désigner ma place. Enfin, il dispose sa production esthétiquement sur les deux assiettes et il s'assoit en face de moi.

− *Eat while it's hot !* me dit-il.

Je m'exécute. Lui, il pique sa bouchée de viande d'une fourchette déterminée, mais il l'arrête à mi-chemin de sa bouche pour me fixer droit dans les yeux. Il me contemple un long moment comme si j'incarnais sa principale énigme existentielle. Et moi, je saisis l'occasion pour lui demander :

− Où est Jeremiah ?

Là, il cale le bifteck entre ses dents et répète la bouche pleine :

− Jeremiah ?

− Oui, le garçon qui m'a écrit.

Il me fixe en avalant son morceau.

– C'est moi Jeremiah! Enchanté de faire ta connaissance.

Moi pas. J'enrage, mais je suis trop fatiguée pour réagir. Je ferai comme Scarlett O'Hara dans *Autant en emporte le vent*, je m'occuperai de cet imposteur demain.

16 décembre (Pleurer…)

Le steak à la sauce au poivre à l'heure de mon petit déjeuner ne m'a pas empêchée de dormir. J'aime tellement ce lit que j'ai l'intention d'y rester pendant tout mon séjour. Car finalement je reste. Je pourrais me payer un billet de retour, mais je pense à ce que ma grand-mère me disait quand je n'arrivais pas à lacer mes baskets : «Allons! on n'est pas des dégonflées!» Elle m'a souvent dit aussi : «Va jusqu'au bout! N'abandonne pas la partie! Qui n'ose rien n'a rien.» Ces slogans me poursuivent. Je reste donc, sans me demander si rester sur un bateau qui coule est ou non la solution courageuse. Il ne me vient même pas à l'esprit de

vérifier si je suis à la bonne adresse, ni d'appeler mon école, mes copains.

À nouveau me parviennent les arômes de
la cuisine. Mon courage se fortifie par l'appétit. La musique classique remplit la maison. Je
suis déterminée à ne pas bouger. Je pense à la
robe de chambre de Bérengère «pour faire la
Frenchie sexy» et je me cache la tête sous la
couette. Des larmes me montent aux yeux.
Troquer mes amis à Noël pour cette fausse
«vie de famille»!

Je n'ai même pas pensé à fermer les
rideaux et la chambre est baignée de lumière.
Tout à coup, il me semble sentir une présence.
Je baisse la couette, un œil vers l'immense
porte-fenêtre, derrière laquelle un paon essaie
d'attirer mon attention. Voilà un mâle
conscient de son pouvoir. Il fait sa fameuse
roue en se pavanant, et soudain il est rejoint
par une bande de copains. Ils sont splendides,
majestueux, éblouissants. Serait-ce là enfin ma
famille américaine?

Je me lève pour les voir de plus près : peut-être n'est-ce qu'un écran de cinéma ? Mais non, il y a toute une équipe, une vraie colonie de vrais paons en chair et en os. Parmi eux, quelques femelles, qui elles, les pauvres, ne sont pas si sexy, n'ont pas ces belles plumes d'un bleu outremer. On se demande pourquoi les mâles font tout ce cirque. Pour les misérables arrière-trains de ces spécimens rachitiques ? Je reste inerte devant le spectacle indigent de leur danse. Dommage que mes amis ne soient pas là pour en profiter !

— Bonedjourrre ! me parvient une voix profonde. *Breakfast is ready !*

Il ne sait rien de ma déception. Se doute-t-il qu'on m'a promis une famille américaine ? Peut-être estime-t-il être une famille à lui seul ? Le sale tricheur ! D'ailleurs, pourquoi veut-il recevoir une jeune Française ? De quelle façon exacte pense-t-il me divertir pendant ces deux semaines ? C'est bien beau d'avoir décoré ma chambre. Ai-je affaire à un satyre ?

Après avoir goûté à ses pancakes, *made from scratch*, donc sans recours à des mélanges préfabriqués, je me sens moins fâchée. Et lui, il prend un plaisir évident à chacune de MES bouchées. Il y a aussi une salade de fruits frais. La radio a échangé son programme contre un débat politique et le vrai-faux Jeremiah secoue la tête et claque ses lèvres en criant «bande d'idiots!».

— *Okay, okay,* me dit-il, cette fois en anglais. Je vais te montrer le ranch.

Devant mon manque d'enthousiasme, il ajoute:

— *Let's go. Let's get this show on the road.*

Son chien, par contre, déborde d'ardeur. Il se jette sur moi et me lèche mes mains, ce qui est tout simplement répugnant.

Étant quand même bien élevée, j'aide mollement à débarrasser la table. Après avoir fait la vaisselle, Jeremiah me prend par le bras. «Par ici!» Et nous voilà partis. Le chien se propulse à travers champs. Moi je me traîne derrière mon hôte. J'aimerais être une de ces vaches. Elles n'ont pas l'air d'avoir de désirs ni d'ambition ni de projets grandioses. Elles incarnent paisiblement ce proverbe biblique : «Bienheureux, celui qui est content de ce qu'il a.» Elles ne semblent pas du genre à s'encombrer de rancœur si la vie ne satisfait pas leurs espérances. Elles donnent l'impression − vraie ou fausse − d'être juste bien, ravies de se trouver au milieu des mouches à remuer la queue.

Bon, j'envie peut-être les vaches mais je ne fais pas partie pour autant du monde animal. D'ailleurs, notre pensionnat ne nous a pas appris à être à l'aise dans la nature. Il y a eu quelques vagues tentatives pour organiser des balades en montagne, mais elles ont toujours été remplacées au dernier moment par des programmes plus citadins. Si je m'épanouis dans une salle de concert, un théâtre ou un musée, je suis perdue dans ces herbes hautes, ces collines à perte de vue et ces grands arbres. Néanmoins, je dis, pour faire plaisir à papy :

— C'est beau, c'est beau.

Mais bof, ce n'est pas ma tasse de thé.

Nous sommes en marche vers le bout du cosmos quand tout à coup il s'arrête devant un vieux chêne robuste (je sais que c'est un chêne parce qu'il me le dit) et me montre du doigt une échelle en corde.

Voilà, j'ai vu des films d'horreur, j'ai lu Stephen King. J'ai peur de monter dans l'arbre. Qui sait ce que ce vicieux compte faire de moi ? J'ai beau ne pas être satisfaite de mon sort immédiat, je souhaite continuer à vivre.

Me voyant hésiter, mon bourreau me dit :

— *Let's go, c'mon, c'mon !*

Et moi, imbécile obéissante, j'y vais et il me suit. Mais, au milieu de l'échelle, je lève la tête et mon désenchantement vire au ravissement.

C'est une cabane dans un arbre. Non, pas vraiment une cabane, plutôt un château ! J'entre. Il y a une petite cuisine (sans eau courante), un salon et une chambre, le tout meublé comme une maison de poupée. Il y a aussi une terrasse qui surplombe la vallée. Tout ce que je peux dire, c'est: «Wow!» C'est curieux, je n'ai pas arrêté de proférer des superlatifs dans les champs monotones et là je suis sans mots.

«Wow!», je répète. Après une marche de deux heures dans les champs, Jeremiah a la délicatesse de sortir une bouteille de jus de fruits et deux verres. Il ouvre un gros paquet de cacahuètes et m'annonce en français:

— Apéro!

Il m'installe sur une chaise longue et j'avoue que, si je n'étais pas en compagnie de ce vieux croûton, ce serait un moment magique.

— Bienvenue en Californie! me dit-il en s'asseyant à côté de moi. Cette cabane, je l'ai construite dès que j'ai su que tu venais. J'y ai même branché la ligne électrique.

— C'est vous-même qui l'avez construite?

Je sais que le monde se bâtit, que les gratte-ciel s'érigent et que les maisons s'élèvent, mais je ne me suis jamais demandé comment. Ils ne nous ont pas non plus amenés sur des chantiers, dans mon école.

Il me montre ses deux mains avec ses dix doigts qui dansent *Ainsi font, font, font.*

— C'est ce que je fais dans la vie!

— C'est un métier, ça?

— Oui, je suis architecte, «architecte de maisons dans les arbres».

Je n'en reviens pas. Architecte je connais, mais architecte pour le baron perché?

— Il y a des gens qui vous demandent de leur dessiner des maisons dans les arbres?

— Une foule de gens.

— Mais les cabanes, c'est plutôt quelque chose qu'on fait soi-même en bricolant, pas un *palazzo* italien du XVIIe.

— Tu as raison. Mais heureusement pour moi, c'est la mode, et les gens font appel à un professionnel. Et c'est moi qui m'amuse.

— Vous arrivez à gagner votre vie avec ça?

— Gentiment. Mais j'ai un autre projet en ce moment, quelque chose que je veux faire depuis longtemps. Viens voir.

Il me conduit vers un coin de la terrasse et me montre ce qui ressemble au chantier d'une grande maison en haut de sa propriété.

— C'est quoi?

— J'essaie de créer une maison pour des vieux qui souffrent de la maladie d'Alzheimer.

— Pourquoi pas dans un arbre?

— Ils ne pourraient pas y monter!

— Pourquoi tout court?

— Mon père souffrait de cette maladie, et nous ne pouvions pas lui trouver une maison humaine et accueillante. Je me suis juré d'en faire une.

Je le fixe. Il est droit et vif, mais il y a trop de peau qui pendouille à son visage et au haut de ses bras. Les rides derrière ses demi-lunes lui couvrent tout le visage. Son crâne dénudé luit. Il n'est pas jeune Il n'est pas non plus entre deux âges. Il est carrément vieux. Je ne peux m'empêcher de lui dire :

— Et la retraite ? Ça existe aux États-Unis ?

Il le prend comme un affront.

— Pas pour moi ! Je ne me vois pas en train de me tourner les pouces sur une chaise à bascule.

— Les voyages ?

— J'ai trop de choses à faire avant. Par exemple, j'aimerais apprendre la médecine, la biologie, la physique, le français !

C'est pour cela alors qu'il s'est porté candidat à l'accueil d'une Française !

— Je ne peux pas vous apprendre le français en quinze jours.

Je ne lui ai pas dit que c'était trop tard pour apprendre une langue, mais je le pensais. En ce qui me concerne, c'était déjà trop tard pour apprendre la physique, quand je suis née.

— Ne t'en fais pas, j'ai des cassettes pour le français. Je les écoute en voiture et au lit. Puis il me demande en français :

— Quelle heure est-il? Il faut que j'y aille. J'ai un rendez-vous de chantier. Il y a ici de quoi te faire un sandwich. Il y a des livres dans la grande maison ou ici. La télé, l'ordinateur, la radio, te promener: fais ce qui te plaît. Je suis sûr que tu as assez de ressources personnelles pour passer l'après-midi sans moi!

Il descend l'échelle et je reste là bouche bée. Voilà encore une chose à laquelle je ne me suis pas initiée dans mon école: la solitude. On y vit toujours les uns chez les autres et on y est toujours encadrés, chouchoutés, accompagnés. Souvent je vais dormir dans l'appartement de Catherine ou de Bérengère, juste pour ne pas être seule, et nous faisons nos devoirs côte à côte. Non, je n'ai pas fait vingt heures d'avion pour me retrouver seule au monde.

Me voici dans le nord de la Californie. Je n'ai pas de mère, je n'ai pas de père. J'ai perdu ma grand-mère. Mes amis sont à dix mille kilo-

mètres d'ici. Je suis seule dans un arbre, com‑
plètement isolée. Je m'affaisse sur la chaise
longue et je pleure.

Toujours 16 décembre (Dormir)

J'ai pleuré en ressassant la liste de tout ce que j'avais attendu du premier prix au concours «Vivre dans une famille américaine».

1) Se faire adopter par une «famille».

2) Des repas où l'on discute de tout.

3) Dormir dans un dortoir entre frères et sœurs qui se chamaillent, se font des blagues et s'aiment pour l'éternité.

4) Faire des randonnées avec les copains de mon «frère».

5) Faire du shopping avec une des sœurs ou la mère.

6) Regarder les séries télé débiles, cercle familial réuni, en mangeant des chips et autres saletés délicieuses.

7) Aller au cinéma en bande et acheter une tonne de pop-corn.

8) Tomber amoureuse du garçon qui m'a écrit.

Je pouvais aller encore bien plus loin dans la liste. Heureusement, grâce au décalage horaire arrosé par mes larmes, je m'endors. Quand je me réveille, il est trois heures et je suis encore dans l'arbre. J'ai faim. Je vois qu'il y a de quoi manger dans le petit frigo de poupée, mais ça ne me dit rien. Je descends l'échelle et je marche à moitié endormie vers la maison.

La porte est ouverte. Ce Jeremiah de malheur m'a dit qu'il ne la ferme jamais à clef. La maison est si vaste qu'il faudrait des rollers pour la parcourir. D'un côté du salon, devant une grande fenêtre encadrant les arbres et les collines, il y a un bureau avec l'ordinateur. J'allume celui-ci. Je vais envoyer des mails à tous les copains, pleurer sur les épaules électroniques. Car je suis chez moi dans l'informatique : j'ai failli apporter mon portable, mais je pensais être happée par la «vie de famille». Je lance donc mon courriel et je commence par Catherine. Deux pénibles paragraphes plus loin (le clavier ici est tout en désordre et je ne sais pas où trouver le *a* ou le *q*), tous mes mots se transforment en alphabet cyrillique et ma lettre subitement est en russe. Ce maudit Jeremiah aurait-il été espion pendant la guerre froide? Est-il un Russe farouche déguisé en Amerloque insouciant et grégaire?

Je fais toutes les manœuvres possibles et imaginables, mais rien à faire : l'ordinateur parle russe et rien d'autre. Qu'il aille se faire cuire un œuf!

J'erre dans la maison. Le rez-de-chaussée pourrait loger l'Armée rouge (qui saurait sûrement se servir de l'ordinateur). Je finis mon exploration par la cuisine. J'ai faim, mais j'ai envie de quelque chose de cuisiné. Je vois qu'il y a des légumes. Il y a aussi de la viande dans le congélateur. Il y a de l'ail, il y a tout ce qu'il faut.

J'épluche des carottes sans savoir ce que je vais en faire. Je m'installe à la table et je pleure de nouveau. Je sais. Bien que je ne sois l'enfant de personne, je suis une enfant gâtée. Me voici en Californie, à un endroit qui ressemble au jardin d'Éden, dans une grande et belle maison avec un lit à baldaquin et un frigo rempli de délices, et je trouve le moyen de pleurer. Je pense encore à ma grand-mère, c'est la personne à qui je pense le plus. «On est fortes», me disait-elle quand je pleurnichais.

Je vais faire la daube niçoise de ma grand-mère. C'est le plat que je fais toujours pour les copains, qui en raffolent. Ils m'appellent la reine de la daube. Je hache donc les oignons, je décongèle la viande dans le four à micro-ondes, je mets une tête d'ail écrasée et tout ce qui s'ensuit. Ça commence à sentir bon.

Pendant que ça mijote, je me promène le long des étagères du salon. Les murs sont tapissés de livres. Il faudrait plusieurs vies pour lire tout ça. Je sors un recueil de nouvelles de Gabriel García Márquez et je commence à lire *Innocent Eréndira and her heartless grandmother.* Pourquoi, parmi ces milliers de volumes, ai-je choisi celui qui raconte la vie d'une orpheline, esclave de sa cruelle grand-mère ? Allongée sur le long canapé de l'immense salon, je lis la nouvelle du début à la fin. Puis je vais vérifier les progrès de ma daube.

Mais voici que reparaît Jeremiah. Un revenant de la bataille de Stalingrad, en sueur, tout couvert de ciment, échevelé, en haillons, chancelant. Voyant la vapeur tourbillonner au-dessus de la marmite, il rajeunit et esquisse un pas de danse. Il renifle fort et s'appuie sur le comptoir de la cuisine, comme pour se soutenir.

— Quelle ivresse ! C'est une chanson. C'est un poème.

Il soulève le couvercle et titube.

— C'est un tableau, une nature morte !

Il pousse un peu, non ?

— C'est quoi ? demande-t-il.

— Une daube niçoise.

Quand la daube provoque une larme californienne, c'est que le pleureur est trop sensible ou trop fou.

— Ce n'est qu'une simple daube, dis-je, modeste.

— Ça fait longtemps que je n'ai pas mangé une daube... une simple daube. Il semble défaillir, mais il se ressaisit :

— Je vais me doucher.

Il quitte la cuisine. Deux minutes après, trois garçons entrent. Comme au théâtre : un comédien sort ; trois entrent. Ces «garçons» doivent avoir entre dix-huit et vingt-cinq ans. Ils sont dans le même état que Jeremiah, en plus sale, avec leurs casquettes de base-ball bien comme il faut à l'envers. L'un porte une queue-de-cheval, un autre est doté de piercings au nez et à l'oreille et le troisième est tatoué aux deux bras. Appétissante, cette assemblée de mâles.

— Oh... *Hi!* disent-ils en chœur.

– Ça sent bon ici ! dit l'un.

– J'ai faim ! dit l'autre.

Le troisième ne dit rien. Il est trop occupé à me passer aux rayons X. C'est celui aux piercings. Ses yeux vadrouillent sous mon tee-shirt, à la recherche d'une poitrine inexistante. De ce côté-là, j'ai renoncé à tout espoir. Juliette, Catherine, Bérengère et Agnès portent fièrement leurs Wonderbras et leurs tampons, alors que je stationne encore en grande section de maternelle.

Jeremiah revient à la cuisine, en nœud papillon et smoking. « Pour faire honneur à ta création. »

Il s'avise de la présence des trois petits cochons et dit :

– Ah… Je vois que tu as rencontré toute l'équipe…

– Plus ou moins…

– Je te présente Rick, Tom et Jimmy.

– Enchanté, dit Rick, bronzé avec de grandes crevasses autour des yeux.

— *Nice to meet you*, dit Tom aux tatouages.

Jimmy Piercing ne dit rien, il continue à m'examiner de haut en bas avec ses lasers internes. Il n'a jamais vu de Française, peut-être? Personnellement, je mets un certain temps à remonter son corps de bas en haut, car c'est un long poireau qui n'en finit pas. Le plus grand des trois grands.

— Ça sent bon! répète Rick.

— J'ai diablement faim, refait Tom.

— *Oh, c'mon guys!* dit Jeremiah. *Forget it!*

Il distribue des billets de cinq dollars à chacun et les conduit à la porte avec un «à demain».

— On peut goûter, quand même?

— Demandez à la chef. Mais Rick est déjà dans la marmite. Il goûte la sauce à l'aide d'une cuiller en bois.

— *Oh, my God!* s'exclame-t-il. C'est pas juste.

Il tend une cuiller à Tom qui dit la même chose. Jimmy goûte aussi. Il ne dit toujours rien, mais il sourit pour la première fois. Un sourire de Hollywood, avec des dents d'une blancheur linge de pub…

— *Okay, okay!* grogne Jeremiah. Ça suffit. Dehors! On vous en gardera pour demain. Allez-vous-en. Reposez-vous, on doit avancer vite maintenant. Ce n'est pas un jeu d'enfant, mes enfants!

— *Okay*, on sait bien quand on gêne, dit Rick.

Il expédie une tape dans le dos de Jeremiah en me regardant.

— *Lucky bum!*

Il a de la chance pour quoi? Pour la daube ou pour… moi?

Ils quittent la maison en claquant la porte. Jeremiah lâche un soupir quand il entend le moteur et le crissement des pneus.

— Ils auraient pu rester, dis-je, n'ayant pas renoncé à un semblant de famille.

— Pas ce soir. Ils m'ont trop énervé aujourd'hui.

— Pourquoi?

— Ils ont tout fait de travers. Si je ne suis pas derrière eux à chaque instant, ils font des bêtises… Je passe mon temps à réparer leurs gaffes. Et puis, il faut que nous fassions tranquillement connaissance, toi et moi.

Je lui tends la main.

— Clara-Camille Caramel, ou triple C, ou encore Clacaca pour mes amis.

Il joue le jeu, se présentant à son tour.

— Jeremiah Schenkin.

Puis il dit en ouvrant une bouteille:

— Il faut que tu goûtes le vin de Californie.

Nous avons eu plusieurs cours d'œnologie, mais je suis loin d'être une experte. Le vin et le champagne, c'est une goutte de temps en temps, dans les grandes occasions. Ambroise assume toujours le rôle du macho de service en faisant des gestes pompés sur le sommelier qui nous a donné les cours, du genre: secouer légèrement le verre, se gargariser un peu, puis prononcer «il est fruité». On détecte un arôme de noisette et de fraise. Ambroise, à sa décharge, est fils de grands vignerons du Bordelais. Il est propriétaire d'un château à Blanquefort, géré jusqu'à sa majorité par son tuteur.

Moi, je sais tout juste reconnaître quand un vin est très bon ou très mauvais. C'est tout. Je prends le verre de vin de Californie et j'avale. Mais je ne sais pas où caser ce vin entre le très bon et le très mauvais. Je dirais peut-être qu'il est un peu trop bon, «trop» comme tout ce que font les Américains. Pas normal.

— Alors? me demande Jeremiah.

— Trop bon! dis-je, et il le prend comme un compliment. Les Américains ignorent que trop, c'est trop, et moins, c'est mieux.

Nous reprenons à table nos places de la veille et Jeremiah me lance sans préambule:

— Maintenant, dis-moi qui tu es.

La question me tombe dessus comme une bombe. Je ne sais pas comment répondre.

— Trop dur! Bon, je suis une Française.

— Tu te résumes donc à ton pays?

— Tu sais, je suis orpheline. Les orphelins n'ont pas d'histoire. Nous grandissons dans une serre aux saisons artificielles. Nous ne sommes pas arrosés par des bisous au lit la nuit, ni par des contes de fées avant de nous coucher. Nous ne sommes pas nourris par des conflits avec nos parents, pas de rivalité entre frères et sœurs, pas de souvenirs de fêtes, pas de petits déjeuners en famille.

— Mademoiselle Pas ceci, pas cela? Miss Privation?

— J'ai de bons amis. Je reçois, je crois, une bonne éducation. J'ai de l'argent. Mais c'est vrai que je me sens privée de l'essentiel.

— C'est quoi, l'essentiel?

— Une mère! Une pompom girl personnelle, toujours là pour m'encourager et me soutenir. Une personne qui m'aurait toujours connue, même avant ma naissance, qui aurait toujours été là. Une continuité.

– Toutes les filles ne cherchent pas ça. Certaines mères sont des sorcières, des emmerdeuses.

– Mais elles sont là. Elles existent. Ça veut dire une interlocutrice de choix.

– Tu ne parles pas de père...

– Je suis tellement ignorante à ce sujet que je ne sais même pas à quoi ça peut servir, sinon à dire à quelqu'un: «Papa!» Est-ce que quelqu'un te l'a déjà dit?

– J'ai deux enfants...

«Où sont-ils? Mon Dieu, faites qu'ils viennent jouer avec moi!» je pense.

Comme s'il lisait dans mes pensées, Jeremiah déclare:

– Ce ne sont plus des enfants.

– Ils en ont, eux, des enfants?

Jeremiah a certainement l'âge d'être grand-père.

– Ils n'en veulent pas.

Ça semble le peiner.

Comment s'appellent-ils?

– Dan et Pearl.

– Pearl?

– Oui, *a pearl of a girl*.

– Et leur mère?

– C'était ma première femme.

– La première? Combien en as-tu eu?

– J'ai divorcé trois fois.

– Un record, dis-je en pensant que les gens sont surprenants. Qui croirait que ce vieil homme est un séducteur en série?

– Je n'en suis pas fier.

– Qu'est-ce qui s'est passé?

Je n'ai jamais su être discrète. Je suis seule en Californie avec cet homme et je m'emploie à tout savoir de lui.

– Toi, tu es madame Pas du Tout et moi je suis monsieur Pas assez! Pas assez d'amour, pas assez de câlins, pas assez de bisous, pas assez de compréhension. Je me suis marié avec trois handicapées de l'amour.

Sur ce, les nouilles sont prêtes. Je me lève pour servir la daube. «Handicapées de l'amour»! J'ai subitement peur d'être atteinte de la même tare.

Jeremiah enfourne un morceau de viande imprégné de sauce. Il ferme les yeux.

— Je suis au paradis. C'est une perfection. Je n'ai jamais rien mangé de tel.

Il garde les yeux fermés.

— Sauf une fois…

Une larme s'échappe de son œil clos. Je voudrais l'interroger sur ses femmes, mais je le laisse manger. À chaque bouchée, il fait un nouveau commentaire.

C'est tour à tour «la sauce des sirènes, la fête des fées, l'élixir des elfes, le breuvage des déesses, le délice des princesses».

Puis il me regarde droit dans les yeux.

— Je pensais qu'on irait dîner dehors. J'ai beaucoup de travail et je ne peux pas laisser les gosses seuls sans surveillance. Je t'ai abandonnée pour te permettre de rattraper le décalage horaire. Mais tu es Blanche-Neige et, avec tes doigts de fée, tu as fabriqué un miracle.

Il a l'air sincère et heureux. À notre école, tout le monde est très sympa avec nous, mais je n'ai pas l'impression d'avoir rendu quelqu'un aussi heureux de toute ma vie.

— Pourquoi dois-tu surveiller ces types de si près?

— Ce ne sont pas de vrais artisans. J'ai entrepris de les former. Ils ne savent pas lire un plan. Il faut que je sois là pour dire où planter chaque clou et où visser chaque boulon.

— Alors pourquoi, à un moment où tu es si occupé, as-tu voulu recevoir une Française? dis-je avec reproche.

— Le comité d'organisation a eu un désistement in extremis et ils m'ont téléphoné. Je n'arrive jamais à dire non, alors j'ai dit oui. Je pensais que des ados de quinze ans pouvaient s'occuper tout seuls et, tu vois, j'avais raison!

Je suis furax. On ne s'engage pas à faire vivre une «vie de famille» à une orpheline quand on n'a pas la moindre intention de s'occuper d'elle. Mais, comme dit ma grand-mère, on n'est pas des lâcheurs.

Je déclare solennellement:

— Demain, je viendrai travailler avec toi! Tu m'apprendras le métier à moi aussi.

Bonne chance, vieux Jeremiah, je n'ai jamais tenu le moindre outil dans mes jolies mains de fée.

— *Okay!* Petit déjeuner à cinq heures!

17 décembre (Trembler)

Je me réveille à dix heures trente. J'ai loupé le train! Sur la table de la cuisine, il y a dix boîtes géantes de céréales: Rice Crispies, Corn Flakes, Muesli, Sugar Pops, Captain Crunch. Un arsenal complet de sucres et de calories. Il y a des fruits, du café dans la cafetière, des bagels (pain rond avec un trou au milieu), du fromage qui ne ressemble pas à du fromage, du beurre qui n'a pas le goût de beurre. J'opte pour une tasse de thé et un bagel que je mange en lisant les boîtes de céréales.

Jeremiah entre avec son tonique «bonedjour» habituel. En réponse à mon front froissé, il dit, tout sourire:

— Je n'avais pas le cœur de te réveiller. Il ne faut jamais réveiller un bébé qui dort.

Je simule l'indignation, mais en fait je suis contente. Les fenêtres de la cuisine s'ouvrent sur une nature sauvage légèrement apprivoisée de fleurs, de buissons, de grands arbres qui ondulent dans le vent. Il commence à pleuvoir en *sunny California*.

Ce que j'aime, mon plus grand luxe, c'est prendre mon temps. À la pension, ils ont tendance à bourrer nos journées. Quand ce n'est pas un cours ou une conférence, c'est une sortie exceptionnelle ou un concert. Même le dimanche est farci d'activités. Ça fait du bien d'être seule dans une belle maison à se vautrer dans l'Earl Grey en rêvant d'une autre vie.

— *Okay, c'mon, c'mon!*

Que me veut-il, alors que je suis en pleine conversation avec les paons, qui ont leur bec plaqué contre les vitres?

— *C'mon, c'mon!* Habille-toi! On s'en va!

— Et le travail? Et les «gosses»?

— Il pleut, alors on arrête. Je t'emmène voir la forêt Armstrong.

— J'ai déjà vu suffisamment de forêts!

Je commence à aimer ma vie cloîtrée.

— *C'mon, c'mon!* Jimmy vient avec nous. Il ne l'a jamais vue!

Oh non, pas monsieur Rayons X!

— Il pleut!

— C'est encore mieux quand il pleut. Il n'y aura pas dix mille touristes!

— Mais…

— *C'mon, c'mon! Let's go.*

Je bois les dernières gouttes de mon thé : je ne laisse jamais rien dans ma tasse (un *mug* énorme). Ça doit venir de ma grand-mère qui me récompensait quand je vidais mon assiette. À la pension, ils ne surveillent pas nos assiettes, ils nous servent des repas excellents et c'est à nous de manger ou de ne pas manger. Et nous mangeons!

Je m'habille en quatrième vitesse. Jean, pull, imper. Une petite ligne noire sur mes paupières, rouge à lèvres, cheveux vite brossés et je suis assise devant dans la Volvo. Jimmy est derrière avec Micha, le chien. Ils sont les meilleurs amis du monde. Jimmy se cache sous sa casquette, laquelle malheureusement ne cache pas son anneau dans le nez. Beurk! Les piercings me font vomir. Je n'ose penser à ce qui se passe quand Jimmy se mouche.

N'empêche que j'aimerais lui dire quelque chose, histoire de montrer combien les Français sont chaleureux et sociables. Mais la seule question qui me vient à l'esprit, comme d'habitude, c'est: «As-tu des parents, Des frères et sœurs?» Je ne dis donc rien. Lui non plus. Heureusement que Jeremiah a une tchatche d'enfer. Il parle 1) de l'État de Californie, authentique merveille du monde; 2) de la politique américaine, qu'il trouve abominable et insensée; 3) de l'architecte célèbre Frank Lloyd Wright, avec qui il a travaillé pendant trois ans («les plus belles années de ma vie»); 4) de l'université de Berkeley, où il a été étudiant («les plus belles années de ma vie»); 5) du Japon, où il a servi deux ans dans l'armée de l'air («les plus belles années de ma vie»); 6) de Los Angeles où il a vécu jusqu'il y a huit ans, et qu'il déteste.

Pendant qu'il nous raconte tout ça, Radio Classique nous dispense ses chefs-d'œuvre. De temps en temps, Jeremiah s'interrompt dans son monologue pour nous nommer non seulement le compositeur, mais aussi les interprètes. Et chaque fois, il les appelle par leurs prénoms, comme s'ils étaient ses potes.

La forêt est loin, loin. Ici, tout est loin. Le premier magasin est à dix kilomètres du ranch. Les Américains n'ont pas de jambes, ils ont des roues… et des quatre-quatre, ces chars qui encombrent les routes.

Nous arrivons, après un voyage interminable, dans un immense parking vide. Ça fait presque de la peine d'abandonner notre voiture dans ce désert. Ça fait mal aussi de sortir sous la pluie battante, mais Jeremiah extrait du coffre un immense parapluie et l'on se serre sous cette tente improvisée.

Nous faisons quelques pas dans la forêt humide. Je regarde mes pieds.

— *Look up!* commande Jeremiah.

Je relève la tête. Impossible de dire mon émerveillement. Les troncs de ces séquoias vont de la terre jusqu'au firmament. Ils forment les piliers d'une cathédrale dont le toit est formé de petits bouts de ciel jouant à cache-cache avec le feuillage. Jeremiah nous montre un arbre qui a mille quatre cents ans.

— C'est une des choses vivantes les plus vieilles au monde. Il y en a qui vivent jusqu'à deux mille ans. C'est aussi la plus haute des choses vivantes. Ils vont jusqu'à trois cent soixante-six pieds de hauteur.

Il parle toujours en pieds et en pouces, et je ne sais pas combien ça fait en mètres et en centimètres.

On marche sur un tapis de mousse entre les champignons sauvages, les lichens et l'herbe de la Trinité. C'est Jeremiah qui me donne les marques et les étiquettes comme s'il était Adam avec son pouvoir inaugural de baptiser les choses. Il y a des chênes, des érables, des lauriers de Californie. Je suppose que, si l'on vit aussi longtemps que Jeremiah, on doit avoir le temps d'apprendre tous ces noms. Moi, ce que je sais, c'est que ça sent bon.

Nous suivons un chemin le long d'un ruisseau. Jeremiah avait raison quand il a dit qu'il n'y aurait personne. Jimmy est aussi muet qu'un tronc d'arbre, mais il a l'air émerveillé aussi. Jeremiah est quasiment en transe. Je préfère quitter l'abri du parapluie pour me mêler davantage aux arbres. J'ai peut-être trouvé des frères et des sœurs! Je marche la tête au ciel. Le silence est doux. Il y a même des estrades (*« hugging platforms »*) pour embrasser les arbres. Je n'ai jamais embrassé un arbre et j'ai honte de le faire, mais je me hisse sur une estrade et je mets mes bras autour d'un arbre. Et je suis contente.

Quand la pluie s'intensifie, Jeremiah me tire sous le parapluie. Il entoure mon épaule de son bras libre et l'épaule de Jimmy avec celui qui tient encore le parapluie. Jimmy fait pareil et moi, par contagion, je complète la ronde qu'on forme. La main de Jimmy sur le haut de mon bras crée un choc qui se répercute au-dedans de moi. Curieux comme une main sur votre bras peut vous chatouiller le foie, la rate, la vésicule biliaire et le cœur. Je suis consciente de l'itinéraire de mes sensations.

Je serre l'épaule de Jeremiah et il ferme les yeux. Je serais restée longtemps dans la forêt de séquoias avec le plus vieil arbre de l'Amérique, mais il pleut pour de vrai et je tremble.

Jeremiah nous conduit jusqu'à un petit restaurant où l'on mange de la soupe dans une énorme boule de pain vidée. Même Jeremiah se tait. Il retombe dans ses soucis ordinaires et dit:

— S'il pleut demain, on va prendre du retard.

Sur quoi, il énumère les tâches que Jimmy doit mener à leur terme. Ils passent un bon moment dans leur bois mort, alors que moi je suis restée dans le bois vert… et dans la soupe. Délicieuse, juste comme il faut.

— N'oublie pas de me réveiller demain. Je vais travailler avec vous.

On verra ce que l'on verra.

18 décembre (Travailler)

Pour être sûre, je demande un réveille-matin. Jeremiah est déjà sur le chantier quand ça sonne. Je bois mon thé et je le rejoins. Les «gosses» sont là. Tout le monde est bien trop occupé pour remarquer mon arrivée.

Je demande au chef:

— Qu'est-ce que je fais?

— Tu vas couper le bois qui entourera les fenêtres aux dimensions correctes.

Il me donne les mesures et une scie électrique. Merci!

J'y vais, mais je n'ai pas la moindre idée du fonctionnement de cette scie. En plus, j'ai peur. Je reste comme une statue, essayant de pénétrer les énigmes de l'univers, quand Rick vient à mon secours.

– C'est juste en tenant la main appuyée sur la poignée que ça s'allume.

Il y va et l'on ne s'entend plus réfléchir. Je consulte les dimensions et je mesure avec le mètre qui est sur la table. J'ai l'impression que je vais trancher ma propre tête, que je vais me scier l'avant-bras et voir rouler ma main par terre avec les cinq doigts qui me sont d'ordinaire si utiles.

Je déteste l'effort physique. Ce que j'aime c'est soit être assise, soit être couchée avec un livre ou avec une boisson chaude ou froide. Je réussis à scier deux morceaux de bois et c'est comme si j'avais conquis le monde. Je suis un génie !

Et puis une saloperie d'écharde me perce le doigt. J'abandonne la scie pour sucer la blessure. Jeremiah accourt et me gronde.

– C'est dangereux, tu es folle ! On ne laisse pas les outils par terre !

Je lui montre mon doigt comme le ferait un enfant de deux ans. Il regarde.

— C'est rien! me dit-il. Mais si on trébuche sur la scie, ce n'est pas rien.

Il me montre ses mains qui semblent avoir été mangées par la lèpre (quoique je n'aie jamais vu de lépreux). Elles sont un répertoire vivant de coups, d'entailles et d'incisions mal cicatrisées.

— Tu veux que les miennes deviennent comme les tiennes? dis-je.

— Je ne t'oblige à rien. Mais si tu veux travailler, tu fais ce que je te dis.

— Je n'ai jamais scié de ma vie!

— Il y a toujours une première fois.

— Oui, mais est-ce qu'elle doit être suivie par une deuxième?

— Bon. Je te donne un travail à la portée d'une Française.

Il me tend une sorte de revolver.

— Voici un pistolet à air comprimé, avec lequel tu vas clouer ces revêtements extérieurs.

J'adore le vrrroin pan du pistolet et je fonce, pan pan pan ping. J'aime tellement ça que, dans mon zèle, j'en mets trop, le bois se fend. Jeremiah, qui court dans tous les sens pour résoudre les problèmes de tout le monde (en haut des échelles, à quatre pattes, étendu par terre), vient vers moi pour murmurer quelques gros mots au sujet du prix du bois et du gaspillage.

— Bon, déclare-t-il en me tendant une brosse et un pot de peinture. Tu vas couvrir le plancher à l'étage de ce produit de traitement.

Ça a l'air facile, mais j'en mets plus sur mes vêtements et mes mains que sur le plancher. Au bout du pot, je n'ai traité que quelques mètres carrés. Jeremiah n'approuve pas. Du tout.

Il me passe un balai et me dit de balayer le plancher du rez-de-chaussée. Me voilà femme de ménage. Je balaie pendant trois minutes et demie, le temps de me retrouver couverte de sciure. Je me mets à tousser.

— Tu es allergique ?

— Pas que je sache.

À moins que ce ne soit allergique au travail.

– Veux-tu faucher l'herbe autour de la maison?

Je n'ose pas dire non. Il m'installe un engin de mort à l'épaule et tire sur une ficelle. Cette fois, je suis terrorisée. Je vais rentrer en France en mille morceaux réunis dans un sachet. Je suis paralysée de peur et de honte : je crois qu'il se rend compte que je suis nulle. Il me délivre de l'appareil infernal et me prend par le bras.

– Tu veux vraiment travailler?

– VOULOIR n'est pas POUVOIR.

– Viens, je te montre les plans.

Le plan de la maison est étalé sur un che-valet. Il indique où vont être les portes et la ter-rasse et les garages, les salles de bains, la cuisine. J'étudie tout ça pendant qu'il aide Jimmy à mettre en place une grosse poutre. Puis j'erre sur le chantier.

Cette maison m'est étonnement familière. Je réétudie les dessins. C'est bizarre comme je comprends instinctivement les plans. Je regarde les plans et je vois les volumes. Un coup d'œil sur les mesures et je sais d'emblée qu'il y a une erreur. Je suis comme ces idiots qui renversent les boîtes de riz mais savent exactement le nombre de grains de riz répandus par terre.

— Quand tu auras une minute, crié-je à Jeremiah qui aide Jimmy à placer une autre poutre, tu peux venir m'expliquer quelque chose?

Il se libère. Je lui dis ce qui me tracasse.

— Tu vois ce pilier qui soutient cette poutre? On dirait qu'il flotte. Je ne vois pas la fondation, il n'y a pas de béton comme sous les autres.

Il l'étudie, fait le tour, se met à hurler.

— Rick! Tu n'as pas mis la fondation!

À moi il dit:

— Tu as diablement, péniblement raison! Comment as-tu remarqué ça?

— Ça se voit, c'est tout. Je lui dis toutes mes autres trouvailles.

Il me fixe, estomaqué, et me déclare :

— Tu as un œil d'architecte ! Tu sais, c'était mon idée de départ, mais par souci d'économie j'avais laissé tomber.

— Il ne faut jamais trahir l'inspiration ! dis-je avec grandiloquence.

— Toute idée n'est pas réalisable. Il n'y a pas que le rêve, il y a aussi la réalité. On peut faire beaucoup de choses, mais on est malgré tout limité par le matériau, le temps et l'argent.

— Peux-tu quand même mettre un bow-window là, élargir l'escalier et créer une niche dans la chambre du haut ?

— Pour te faire plaisir, je reverrai tout ça. Il me regarde, toujours incrédule et abasourdi.

Le soleil tape fort, vraiment trop fort pour que je puisse rester là. Je me rends compte que je ne suis pas douée pour le travail physique. En même temps, Jeremiah arrive à la conclusion qu'ici je fais plus de mal que de bien.

— Le métier vient avec la pratique. Tu peux aider Jimmy à clouer le plancher.

Je jette un coup d'œil à Jimmy la-bague-au-nez. Il n'est décidément pas mon genre. Il est probablement analphabète et ne sait même pas qui est Jean-Sébastien Bach. Je ne suis pas snob, mais il y a des limites.

Je ne me sens pas très bien. D'accord, j'ai tendance à somatiser, mais le peu que j'ai fait (ou pas fait!) ce matin me chagrine tous les muscles. D'accord, je suis une mollassonne. Mais je ne resterai pas là une minute de plus. Tant pis si je perds la face. Je sais que c'est moi qui ai demandé à travailler, mais tant pis. Je ne suis pas venue en Californie pour me morfondre sur un chantier. Même grand-mère Perle serait indignée.

Je dis poliment (restons polis!) à ce Jeremiah de malheur que je me sens malade et que je rentre à la maison. Il a l'air soulagé. Il n'avait pas besoin d'ajouter une incompétente à sa collection d'imbéciles. Mais, pour me permettre de sauver la face, il dit:

— Tu seras ma conseillère théorique. Tu feras l'inspection avec moi tous les jours après le départ de tout le monde.

Au lieu de rentrer à la maison, je la contourne, arrive au pied de l'échelle qui monte à la cabane dans l'arbre. Je grimpe et je prends un livre avant de m'affaler sur la chaise longue. Est-ce qu'une maison peut remplacer une famille?

Je commence à lire ce livre: *Bandini*. Grand lecteur, ce Jeremiah! Je ne m'y attendais pas. J'ai affreusement mal à la tête. Heureusement je m'endors. C'est sans doute la faim qui me réveille. Je voudrais partir en quête d'une miette à me mettre sous la dent, mais impossible de me relever. Je reste allongée, incapable de bouger. Ma tête m'envoie des signaux de détresse et de scission d'avec le reste de mon corps. Je contemple les vagues du feuillage. J'admire la danse des nuages. Il n'y a pas souvent de ces patapoufs en coton dans le ciel de la Côte d'Azur. Mes observations flottent sur la symphonie de mes borborygmes et des top-laboum de ma tête.

Curieusement, je n'entends pas venir les pas. Je prends conscience de sa présence seulement quand il est assis à côté de moi. Pour expliquer sa venue, il me dit:

— Jeremiah était inquiet. Il t'a cherchée partout. Il avait peur que tu ne sois rentrée en France. Il sort un sandwich d'un sac en papier kraft. Je lorgne ce carré dégoulinant de beurre de cacahuète et de confiture comme si c'était un toast au foie gras frais. Jimmy la-bague- au-nez m'en tend la moitié (la plus grosse moitié!). Il va se chercher une bière dans le frigo et me demande ce que je voudrais. Je n'aime pas trop la bière, mais inutile de se singulariser.

— Une bière pour moi aussi s'il te plaît. Il est surpris. Je fais partie de la bande? Je suis une chic fille. Nah!

Ce sandwich est le pire mélange gastronomique qui puisse exister. La pâte gluante me colle au palais et la bière aggrave la situation.

Je ne trouve rien à dire. Quand l'estomac est vide, le cerveau l'est aussi. Je persévère donc avec la canette de bière comme avec le sandwich, brave petit soldat jusqu'au bout. Jimmy extrait de son sac un autre sandwich, cette fois au thon, ou plutôt à la mayonnaise avec un peu de thon dedans. Il attend que je finisse le premier, me ressert une canette et m'offre la moitié du second sandwich. Je glougloute cette bière qui me semble de moins en moins mauvaise – à ne boire que du vinaigre, on oublie qu'il y a plus doux sur terre. Je n'ai plus faim, mais je mange et je bois jusqu'à la dernière goutte et, miracle, mon esprit (tordu) me souffle une question. Je fixe La-bague-au-nez et je demande :

— Jusqu'où es-tu prêt à aller par amour ?

Estomaqué, Jimmy ne répond pas. N'empêche qu'un sourire est né au coin de ses lèvres.

— Je veux dire, serais-tu d'accord pour enlever cet anneau de ton nez ?

Il ne dit toujours rien mais réfléchit.

— Pourquoi tu le mets, d'abord?

Cette fois, il ancre ses yeux dans les miens et répond:

— Par amour, justement!

— Comment ça?

— J'étais avec une fille et on a décidé de faire quelque chose de fou pour se ressembler.

— Et puis?

— Elle a trouvé un autre type mieux que moi, et elle est partie avec. J'ai gardé l'anneau.

Je voudrais en savoir plus, mais il voit le livre sur mes genoux et change de sujet.

— C'est bien comme bouquin?

Je prends une page au hasard et tombe pile sur: «Il était maçon et, pour lui, il n'y avait pas de vocation plus sacrée sur terre. Vous pourriez être roi; vous pourriez être un conquérant; mais quoi que vous soyez, il vous faut une maison; et si vous avez le moindre bon sens, cette maison doit être en briques et, évidemment, construite par un maçon syndiqué, selon les normes admises par le syndicat. Ça, c'est l'important. »

— Intéressant... Je ne lis pas beaucoup. En fait, je ne lis pas du tout depuis que j'ai quitté l'école.

— Je te le passe quand je l'aurai fini. Je le termine demain.

— Tu lis un bouquin en un jour?

— Quand c'est vraiment bon, on ne peut pas le poser. Celui-ci est passionnant, plein d'humour. Je l'ai pris sur l'étagère. Je ne connaissais pas l'auteur, John Fante. Ni le titre : *Bandini*.

— C'est bien. Il n'est pas trop gros.

— Au contraire, le plaisir finit trop vite.

— Lis encore, j'aime bien ton accent.

— «Elle s'appelait Maria, et il sentait le lit moelleux s'affaisser sous lui, et il devait sourire en la sentant se coller à lui, et ses lèvres s'ouvraient pour recevoir trois doigts d'une main fine qui effleuraient ses lèvres, le propulsant vers des contrées de soleil brûlant. Et ses narines recevaient l'haleine de sa bouche qui faisait la moue.»

— Mais c'est porno, ton bouquin!

— Pas du tout. C'est simplement beau et bien écrit. Écoute: «Il l'aimait avec une telle férocité tendre, tellement fier de lui. Il pensait tout le temps: elle n'est pas sotte cette Maria, elle sait ce qui est bon. Et puis la bulle qu'ils poussaient ensemble vers le soleil a explosé entre eux deux, et il lâche cette plainte joyeuse d'homme content d'avoir été capable d'oublier tant de choses pendant un bref instant...»

Je ne sais pas pourquoi j'ai choisi ce passage, peut-être pour l'encourager à lire. Mais il me perce de nouveau de ses rayons X et m'offre le marché suivant:

— Si tu m'embrasses, j'enlève l'anneau de mon nez.

Je suis sidérée. Et tout ce que je peux dire, c'est:

— ... Et si je t'embrasse deux fois, tu enlèves la boucle d'oreille aussi?

Il commence son strip-tease. Il se dépouille tour à tour de l'horrible accessoire du nez, puis du moins infect, mais néanmoins infect, machin d'oreille. Il les jette au loin pour me signaler que c'est définitif.

Et la vérité, c'est qu'il est transformé sans ses colifichets de Zoulou. Non pas comme la grenouille qui devient prince APRÈS le baiser, mais comme le loubard qui devient plus ou moins BCBG AVANT le baiser.

Le pire, c'est que je VOUDRAIS l'embrasser. Ça fait toute une vie que j'attends un tel moment, moi qui ai vu tous les films d'amour. Je ne pouvais pas imaginer occasion plus romantique, loin de la foule, suspendue dans un arbre, flottant sous les nuages de la Californie. Je ne peux même pas imaginer un meilleur candidat, grand, fort, assez beau sans sa ferraille, tellement différent de tous les garçons de mon école qui sont si raffinés qu'ils en deviennent efféminés. Catherine m'a prêté *L'Amant de Lady Chatterley* et Jimmy semble parfait pour le rôle du garde-chasse. Seulement voilà, je suis paralysée. Il est debout devant moi, en attente. Mais je ne peux pas me lever. La bière aidant, ma tête me cogne encore plus fort, j'ai des crampes d'estomac comme jamais de ma vie. En plus, tout l'appareil sonore est débranché.

Jimmy essaie de me tirer de la chaise. Je lui tends les bras, mais je suis une masse de plomb, le rocher de Gibraltar. Je fais mon mieux pour me hisser ou l'attirer vers la chaise, mais il est trop solide sur ses pieds. Il me jette un dernier regard de confiance trahie et il se sauve en courant.

Tout ce que je trouve à faire, c'est ce pour quoi je suis le plus douée. Je pleure.

19 décembre (Régler)

— *C'mon, c'mon!* Les secours ne se font pas attendre. Jeremiah, essoufflé, rouge, en sueur, vient délivrer la reine de France. D'un coup d'œil, il évalue mes larmes.

— Qu'est-ce qu'il y a? Qu'est-ce qu'il y a? Il répète souvent deux fois la même chose.

— Il y a que je suis paralysée. Je ne peux pas me lever de cette chaise.

— *Ridiculous! C'mon, c'mon!*

Il me donne la main et il tire.

— Rien!

Il se rend à l'évidence. Il place ses deux grosses mains brutes pleines de blessures sous mes aisselles et ho! hisse ! la saucisse: la montagne bouge. Ce n'est pas facile. Lui qui a travaillé de toutes ses forces sur les chantiers toute sa vie semble exténué par l'effort fourni pour me déloger de cette chaise longue. Plus jamais je ne m'y poserai.

Quand je suis enfin sur pied, je prends conscience du naufrage. C'est le cas de le dire. Je suis trempée. Je regarde la chaise pour voir si j'ai renversé ma canette, mais non. Ce n'est pas de la bière, c'est mon sang. Il y a une grosse flaque sur la toile tendue toute neuve de la chaise longue. Je suis tellement gênée que je voudrais sauter du haut de l'arbre. J'ai le mal de mer et je titube vers l'évier. Je prends l'éponge et je vais vers la chaise.

— *I'm sorry, I...*

— Est-ce la première fois?

— Oui, je suis très en retard...

— Non, ce n'est jamais trop tard.

Je me penche vers la chaise.

— Non, non, laisse la chaise. C'est rien. On la gardera comme monument historique. C'est un grand jour. On va mettre ton nom et la date. C'est fantastique. Il essaie de m'emmener dans une valse improvisée.

— Viens, viens! Il faut trouver une idée pour fêter ça! Viens. Tu arrives à descendre toute seule? Tiens, j'y vais d'abord. Je t'aiderai.

Je suis tellement faible que je vais tout doucement, un pied hésitant après l'autre. Une fois en bas, je remarque un grand cœur gravé dans le tronc avec ces mots dedans:

« Les rares amoureux
qui persisteraient à graver encore
leurs initiales
sur cet arbre
on leur ferait des électrochocs
pour les guérir du coup de foudre. »

J'ai reconnu du Jacques Prévert. Je connais tous ses poèmes par cœur parce que nous avons fait un spectacle Prévert à l'école.

Sous le poème, il y a deux initiales. P. et J Mais je n'ai pas le temps de poser des ques-

tions, pressée par l'insistant « *C'mon, c'mon* »
de Jeremiah.

— Toi tu te prépares et moi je cherche
une idée.

Il accoste l'ordinateur en russe alors que je
vais vers une douche de trois heures au moins.
Tant pis pour l'écologie. Mais en fait je ne
reste que le temps habituel et déjà Jeremiah
frappe. À travers la porte, il m'annonce que
dans la culture arapesh, en Nouvelle-Guinée,
la première menstruation est célébrée par
toute la famille. Des femmes plus mûres frot-
tent le corps de la jeune fille avec des orties.
Une ortie est poussée dans sa vulve pour assurer la poussée des seins. Elle doit jeûner pendant trois jours. Après cette période, l'oncle
maternel fait des entailles décoratives sur les
épaules et les fesses de la jeune femme.

— Encore heureux que je ne sois pas arapesh ! crié-je.

— Ah ! Alors tu ne veux ni orties ni
entailles ?

— Je ne veux pas jeûner! Tout ce que j'ai mangé aujourd'hui, c'est une saloperie de sandwich de Jimmy.

— *Okay, okay, c'mon,* est-ce que tu as une très belle robe?

J'avais pris une robe pour fêter Noël.

— Oui, à peu près.

— Habille-toi alors et l'on trouvera au moins un bon restaurant.

Bénie soit Bérengère qui m'a donné les tampons avant mon départ «au cas où». Dommage qu'elle ne m'ait pas fourni le mode d'emploi. J'essaie de lire la notice, ce n'est pas évident. Jeremiah me coupe dans ma concentration avec:

— Dans la communauté brahmine, en Inde et à Ceylan, il y a un rite appelé Samati Sadang. La fille s'assoit sur des feuilles de bananier et on lui donne une boisson avec un œuf cru et de l'huile de gingembre. Après, elle prend un bain de lait suivi d'une grande fête familiale. Mais zut, je n'ai pas de feuilles de bananier!

— Pas besoin! Niet pour l'œuf cru et compagnie!

Je me bats avec l'applicateur du tampon quand il frappe de nouveau.

— Une fille nayar de l'Inde est isolée avant la visite d'un groupe de femmes qui va l'habiller dans des vêtements neufs, dans ce cas un sari. Bain rituel et fête après.

— D'accord pour les vêtements neufs.

Je fouille dans ma valise et je trouve la robe noire. J'active la fermeture Éclair quand il est derrière la porte. Il étudie pour de bon sur Internet.

— Dans le rite navajo, il y a une cérémonie élaborée qui dure cinq jours et cinq nuits. La fille devient automatiquement la déesse la plus importante chez les Navajo. On croit que chaque fois qu'une femme est initiée, le monde est sauvé du chaos grâce au renouveau de la fécondité féminine.

J'ouvre la porte. Jeremiah siffle, mais il n'est pas convaincu par ma robe noire toute simple.

— Et toi? dis-je. Tu y vas dans tes haillons de chantier?

— Non, non. Je vais m'habiller. Mais attends ici.

Je n'attends pas. Je le suis. Je l'espionne. Je le vois ouvrir une vieille malle oubliée dans une des nombreuses chambres. Il n'y a qu'une seule chose dans cette malle signée Louis Vuitton: un vestige bien empaqueté dans du papier de soie. Patiemment, il défait cet emballage pour faire apparaître une robe qui aurait plu à Peau d'Âne, une robe simple et complexe, ancienne, précieuse, vraiment rétro genre haute couture des années cinquante, sculpturale et fabuleuse, d'une couleur indéfinie entre le vieux rose et le beige d'or. Je rebrousse chemin comme une souris et j'attends dans ma chambre comme il m'a dit.

Il revient et me tend la robe. Je ne sais pas pourquoi mais je ne souhaite plus rien d'autre au monde que d'enfiler ce trésor. Je suis aux anges quand il me donne le feu vert.

— Je vais me préparer. Et réfléchir à l'endroit où t'emmener.

De mon côté, je me regarde dans le miroir. Je ressemble — en toute modestie — à un miracle. Je suis vraiment une femme. Même mes seins de fillette semblent avoir poussé (sans orties!). En plus, la robe me va comme un gant, comme si j'étais née uniquement pour la porter.

Je m'applique à me maquiller, même si je ne sors pas ce soir avec le prince William. Juste avec ce vieux Jeremiah de misère, qui, après tout, n'est pas si méchant. La robe vient-elle d'une de ses nombreuses femmes? Non, elle est trop ancienne. Il a dû se marier pour la première fois dans les années cinquante. On dirait que c'est fait main. Ça me change d'Agnès b. Oh, comme j'aimerais défiler avec ça devant les copines!

Je suis prête et affamée. Je vais dans la cuisine voir s'il y a quelque chose à picorer. Dans un des placards, je trouve un sac géant de chips à moitié entamé et j'y enfonce ma main. Frank, Tom et Jimmy ouvrent la porte d'entrée pour crier qu'ils s'en vont. À ma vue, leurs yeux leur sortent des orbites.

— Wow! dit Frank.

— Wow! dit Tom.

Jimmy, à son habitude, se contente de regarder.

Jeremiah est tout beau, lui aussi, c'est-à-dire aussi beau que peut l'être un vieux beau.

— *Okay, okay, guys.* À demain! Reposez-vous bien. Demain, ce n'est pas un jeu de Lego. Et merci.

— Attends!

Je rattrape Jimmy. C'était irrépressible. Au moment où il monte en voiture, je l'arrache de là et l'entraîne à l'écart des autres.

— Je te dois quelque chose.

— T'en fais pas, je peux me remettre l'anneau au nez.

— Non, non, tu es beau comme ça.

— Tu n'es pas mal non plus. Tu devrais venir sur le chantier avec cette robe.

Je lève la tête et me mets sur la pointe des pieds. Jimmy est très grand. Avant de fermer les yeux, je vois l'éclosion de son sourire. Nos bouches se rencontrent en douceur. J'ai quand même une petite pensée pour mon rouge à lèvres. Nous restons ainsi à peine quelques secondes, trois peut-être, mais j'ai l'impression de me dissoudre.

— Pourquoi tu as refusé tout à l'heure?

— Quelque chose d'important m'est arrivé. Tu as bien vu : je ne pouvais pas bouger.

— *Okay,* ben, adieu. Tu as honoré ton contrat.

— Hey! Hey! C'est la voix de Jeremiah.

— *C'mon, c'mon,* on s'en va! J'ai réservé.

Les deux voitures démarrent. Je suis fière de moi. J'ai réussi à avoir mes règles et mon premier baiser. Et les deux le même jour!

20 décembre (Se tortiller)

Je suis assise dans la voiture de Jeremiah sans savoir où il m'emmène. Il me fait des sourires tout tendres. Je reste consciente de ma condition et inquiète pour cette robe trésor. Je ne voudrais pas la salir.

— Tu te rends compte, me dit-il en faisant non de la tête, il y a des fêtes et des rites dans toutes ces cultures éloignées et rien ici chez nous pour fêter dignement ce grand début de ta vie de femme.

— L'occasion ne vaut pas d'être fêtée. C'est une vaste galère.

— On aimerait te le faire croire! On te fait

croire qu'être une femme, serait douloureux, puant et sale, d'où tous ces produits qu'on te vend pour camoufler et cacher.

— Est-ce qu'il y a l'équivalent pour vous, les hommes, avec vos pénis en drapeau ? Vous êtes tellement plus évidents que nous, avec notre sexe caché et mystérieux.

Jeremiah ne répond pas à ma question. Il me regarde comme si j'avais dit quelque chose de génial et de grandiose.

— On t'a pas appris à ne pas parler de « pénis » et de « sexe » ?

— Je n'ai pas eu de parents pour m'apprendre les bonnes manières.

— Les parents, pour la plupart, essaient de ne pas en parler, de diminuer l'importance, de décourager la sexualité des jeunes.

— Nous, en France, avec mes amis, nous parlons très franchement de tout ça. Et ta fille ? L'as-tu fêté avec elle ?

— Nous sommes sortis dîner tous les deux juste pour marquer l'occasion. Pas de feuilles de bananier, pas d'orties, pas d'entailles décoratives.

— Et sa mère ?

— Sa mère était une grande violoniste qui ne pensait qu'à sa musique.

— C'est pour ça que tu as divorcé ?

— Oui, avec quinze ans de retard !

— Elle s'occupait de ses enfants quand même ? Toutes les mères…

— C'est moi qui ai élevé mes enfants. Seul. Elle jouait du violon, c'est tout.

— Et maintenant, tes enfants, quelles relations ont-ils avec elle ?

— Elle est morte il y a quelques années. Elle était vraiment une très grande violoniste.

— Mais pas une mère sensationnelle…

— Non, je crois justement qu'elle n'avait jamais accepté sa féminité, ou du moins la maternité. À part son violon, tout lui était indifférent.

— Et ta deuxième femme ?

— Une musicologue.

— C'est pour ça que tu en connais tant sur la musique.

— J'ai toujours aimé la musique, profondément. Depuis mon enfance.

— C'est sans doute pour cela que tu étais attiré par des musiciennes. Elle avait des enfants aussi, la deuxième?

— Non, elle n'en a jamais voulu. Elle aurait carrément préféré être un homme.

— Tu es bien tombé! Deux fois!

— Ne me le rappelle pas.

— Et la troisième?

— Une grande erreur aussi. Une Russe. Les deux premières étaient brillantes dans leur domaine. Au moins ça.

— Ceci explique l'ordinateur en russe. Et la quatrième?

— Je la cherche!

— Tu n'es peut-être pas fait pour le mariage.

— Je suis fait pour l'amour.

— Laquelle des trois as-tu aimée?

— Aucune. Je n'ai aimé qu'une fois dans ma vie, d'une façon indélébile. C'est à elle que je pense chaque minute.

— Avant ou après les autres?

— Avant.

— C'était peut-être pas très juste pour les trois suivantes.

— C'est vrai. Personne ne pouvait combler le trou énorme dans mon cœur.

Son ton était trop grave. J'essaie d'alléger la conversation:

— Si jamais tu décides d'arrêter de travailler, tu pourrais écrire un livre sur tes mariages.

— Merci! On préférerait ne pas avoir à écrire de tels livres, et avoir moins à dire.

Je n'insiste pas. On roule quelques minutes en silence. Je ne suis pas douée pour le silence.

— On va où?

— Tu verras.

— C'est loin?

— Non, tout près.

«Tout près», en Californie, veut dire au moins à une heure de chez vous.

C'est à peu près le cas, en l'occurrence. Enfin nous arrivons, Jeremiah ouvre ma porte et dit:

— Mademoiselle.

Il prend mon bras. Ah, s'il avait cinquante-cinq ans de moins, il serait parfait. À première vue, l'établissement est une boîte de nuit ou une discothèque. Voilà qui n'est pas bon pour ma faim de loup. Mais, de plus près, me parvient une musique orientale et je vois que c'est petit et intime à l'intérieur. Je vois surtout le nom, *«Belly Babies»* qui est plus tape-à-l'œil que le lieu. Jeremiah appelle par son nom le maître d'hôtel qui nous conduit à une table en bordure de la piste de danse. Les nappes brodées d'or, la vaisselle ornée de pierreries, les trois bougies me disent que ce n'est pas le bar du coin. Je suis assez blasée car j'ai dîné dans les meilleurs restaurants d'Europe, mais il y a ici une ambiance spéciale. Et surtout on nous apporte tout de suite un plateau de hors-d'œuvre qui contient tous les parfums de l'Orient.

Jeremiah souffle les trois bougies et me tend une boîte d'allumettes.

– C'est toi qui dois les allumer. La femme produit la lumière.

Il sort une feuille et il lit: «Bienvenue à cette célébration de Clara-Camille Caramel. Nous sommes là ce soir pour fêter Clara Camille Caramel qui devient une femme. Nous sommes là pour honorer le pouvoir sacré de la femme. Nous dédions notre force de fertilité aux prochaines générations. Puisse la source sacrée de la vie nous entourer de sa protection! Puisse Clara-Camille Caramel être bénie de la puissance de l'énergie de la femme! Amen.»

Il est très gentil au fond, mais quand même un peu taré. Je crois qu'ils aiment ce genre de trucs en Amérique, mettre de la religion partout. Il me passe le papier en me disant de continuer. «Nous allumons trois bougies pour célébrer la femme. Une pour la fécondité, une pour celles qui n'ont plus la capacité biologique de procréer et une pour la jeune fille qui accède aux mystères des cycles vitaux.» J'allume les bougies une, deux et trois et puis je m'excuse pour aller aux toilettes vérifier l'état de ma condition. Je ne sais pas si Jeremiah a écrit le scénario de cette cérémonie ou s'il l'a trouvé dans le *world wide web*, mais il est très solennel. Attention au fou rire.

Quand je reviens à table, il dit :

– Mange ! Mange !

Chaque bouchée est succulente. C'est une cuisine orientale avec des douzaines de petits plats de légumes, de fritures, de délices. À vrai dire, j'ai assez mangé après les hors-d'œuvre, mais c'est tellement bon que je continue. Entre les plats et le dessert, on baisse la lumière et une femme à peine habillée et pieds nus vient danser au milieu de la piste. La musique est envoûtante et la femme très belle. Elle se tortille en faisant bouger des parties du corps normalement immobiles. Les cellules de chaque convive se mettent en alerte. Ça nous prend.

Le spectacle continue avec trois autres danseuses orientales, et la température monte. Les danseuses défilent en faisant se trémousser leur ventre.

Une des danseuses vient vers moi et me prend par la main pour m'emmener au milieu de la piste. Je ne suis pas du tout gênée tellement j'ai envie de danser comme elle. J'essaie de l'imiter mais ce n'est pas aussi simple que ça paraît. Les gens applaudissent pour nous encourager. Ils placent des dollars dans son soutien-gorge, et m'en donnent aussi quelques-uns. Jeremiah est radieux.

Et puis d'autres dîneurs se joignent à nous, y compris Jeremiah qui fait des tentatives pitoyables pour gigoter en mesure, mais tant pis, l'esprit est là. Danser est une drogue douce qui te fait oublier tes soucis. Mais quels soucis? Qui a des soucis?

La musique et les danses finissent à une heure tardive. Rachida, la danseuse, vient à moi pour m'offrir sa carte.

— Si tu veux des leçons, je fais cours trois fois par semaine.

Jeremiah m'inscrit d'office pour la semaine d'après. Et je suis ravie. J'adore apprendre quelque chose de nouveau, du moment que ça n'implique pas le maniement d'une scie électrique. Les desserts arrivent en cascade avec leur miel et leurs amandes. Après la danse, mon appétit est revenu.

Nous sommes parmi les derniers à partir. Jeremiah est très content de sa soirée, même s'il a l'air fatigué. Il me regarde avec tendresse et me dit:

— Tu es une belle femme, Clara-Camille Caramel. Tu vas être une femme extraordinaire.

Je vois qu'il a du mal à garder les yeux ouverts, alors je lui parle pour qu'il reste éveillé. Je lui parle de mon trésor le plus profond, ma grand-mère, celle qui m'a pris dans ses bras, qui m'a initiée à la vie, après la mort de mes parents. Celle qui a caché sa souffrance d'avoir perdu sa fille unique pour mieux me remplir de gaieté et de joie. Elle est le socle de ma vie. Une dalle en béton armé.

Derrière la porte d'entrée de la maison, je dis à ce Jeremiah bizarre et bouleversant :

– Merci. Je pense vraiment que c'est la soirée la plus inoubliable de ma vie. De ma vie de femme.

Il m'embrasse sur les deux joues, geste que les Américains en principe ne connaissent pas. Et je l'entoure de mes bras, et lui dépose un baiser au milieu de son crâne chauve.

21 décembre (Conduire)

Ça ne fait que quelques jours que je suis dans ma drôle de famille en Californie et regardez tout ce qui m'est arrivé. Micha le chien m'aime et me suit partout. Amour non réciproque, mais je commence à soupçonner pourquoi les gens ont des chiens. Cet animal ne demande rien à part manger et recevoir une caresse de temps en temps, et il est là, langue pendante, à s'extasier devant votre nullité. La maison est calme et déserte, ce matin, avec un mot sur la table au milieu d'un petit déjeuner royal. «Viens sur le chantier quand tu es prête, on fera un tour ensemble. Après, j'ai quelques courses à faire.»

Je n'ai pas encore mis les pieds dans un magasin et j'ai toutes les commandes des copains. Ce n'est pas le bon jour car les «problèmes techniques» font que ce n'est pas un plaisir d'essayer des pantalons. Catherine, Juliette, Bérengère, Agnès et moi avons toutes la même taille, comme sortie du même moule. Sur la table de la cuisine, Jeremiah a mis aussi un magazine pour ados débiles avec un article sur les premières règles. J'adore ces euphémismes que les Amerloques utilisent pour parler des règles. Je ne saurais pas les traduire, mais j'aime particulièrement: *bitchy witchy week*, *big red*, *leak week* (semaine de fuites), *Little Red Riding Hood* (Petit Chaperon rouge), *Mother nature's guest*, *nosebleed in Australia* (?); *red witch*, *The Scarlet letter*, *surfing the crimson wave*, *weeping womb* (l'utérus sanglotant). Je ne connais pas l'équivalent en France.

Je m'habille en jupe pour mieux essayer les jeans. Je monte vers le chantier. Le soleil tape déjà. La première personne que je vois est Jimmy, torse nu, révélant d'autres sinistres cachés: un anneau au nombril et un sur le téton gauche. C'est écœurant. Je ne veux pas voir ça, mais il vient vers moi comme s'il voulait se faire payer son gage une seconde fois.

— Si je t'embrasse encore, tu enlèves ces deux-là aussi? Je désigne les coupables.

— Oh, ces deux-là vont te coûter très cher.

Il les retire et les jette au loin dans les champs. Je me vois en flic des piercings, distribuant des baisers ardents pour nettoyer la terre de ce fléau.

Mais Jeremiah rapplique, les clefs de voiture en main.

— *C'mon, c'mon,* me dit-il. Journée de courses.

Au lieu de monter du côté du conducteur, il grimpe côté passager et me passe les clefs en déclarant:

— C'est toi qui conduis.

— Je ne sais pas conduire.

— Ici, il faut savoir conduire. Tu vas apprendre.

Il me donne quelques explications. Je tremble de la tête aux pieds, mais j'arrive à ébranler cette grosse bagnole et on roule. Je suis au septième ciel. J'ai des ailes. On va jusqu'à la barrière de sa propriété où il reprend le volant.

Premier arrêt : un bureau où je remplis les formulaires du permis des apprentis, qui me permettrait de conduire légalement à côté d'un conducteur titulaire du vrai permis.

— Mais je n'ai que deux semaines ! Il faut des mois pour avoir les papiers.

— Non, non, tu les auras en quelques jours. Il faut juste étudier ce livret du Code de la route et passer un test après-demain et tu auras le permis apprenti.

Je n'arrive pas à croire que je pourrai apprendre ce livret en anglais en deux jours et réussir l'examen.

— T'en fais pas. Tu y arriveras haut la main.

Deuxième arrêt : un immense magasin de bricolage où Jeremiah achète des clous.

Troisième arrêt: le supermarché. Un monde fou!

— Tu me dis tout ce que tu voudrais manger.

On remplit le chariot et je commence à entasser les articles sur le tapis roulant. «Non, non», me dit une des trois caissières comme si j'avais commis un acte criminel. Il y a une employée pour vider le chariot, une autre pour faire le compte et une autre pour ranger les achats dans de grands sacs solides et les remettre dans le chariot. Il y a encore un garçon qui vous installe tout ça dans le coffre de votre voiture. C'est incroyable.

— On est des infirmes ou quoi? demandé-je à Jeremiah. Vous êtes vraiment des enfants gâtés!

— Ça donne du travail aux gens. Où est le mal?

Il propose de me laisser devant un grand magasin et de revenir me chercher quand je veux.

— Une heure, deux heures?

J'évalue la taille du magasin.

— Donne-moi trois heures.

À part la foule, le magasin est une sorte de pays des merveilles où s'étalent tous les cadeaux que je cherchais, plus de nouveaux vêtements «de femme» pour moi. J'achète ainsi ma première paire de chaussures à talons hauts que j'enfile sur-le-champ. J'ai l'impression de me promener sur des échasses et de basculer dans tous les sens.

À la sortie, je repère la grosse caisse de Jeremiah, avec au volant Jimmy.

— Jeremiah a des problèmes sur le chantier, alors il m'a envoyé te chercher. Il m'a dit de t'acheter quelque chose à manger.

— Tu as mangé? lui demandé-je.

— Oui, mes deux sandwiches... en entier!

— Je n'ai pas très faim. Un thé, peut-être.

— Tu veux une glace?

— Oui, une glace ce serait parfait.

Il roule jusque devant une fenêtre où on nous remet une carte de six pages. On avance vers une autre fenêtre pour donner notre commande. À la troisième fenêtre, nos glaces nous attendent. Les Amerloques ont bien calculé leur vie pour ne jamais bouger.

Un peu plus loin, englués dans une de ces immenses mers de voitures qui couvrent le paysage américain, nous léchons nos cornets taillés pour des langues d'ogres.

– Goûte la mienne, dit Jimmy, qui me tend sa montagne de crème chantilly ponctuée par des éclats de chocolat. Je trouve déjà la mienne insurmontable, et il veut que je l'aide? Mais il ne faut jamais refuser un cadeau. Je goûte. Oui à la crème, que la vie nous soit aussi douce et flottante et aérée. Jimmy profite de la proximité de ma tête pour me planter un gros bisou sur le crâne. Un bisou à la crème, combinaison de rêve, sauf que mon nez s'enfonce dans son cornet. Je relève un visage couvert de chantilly, Jimmy se trompe et me prend pour sa glace. Je sens sa langue sur mon visage et je pense à Micha le chien. Déjà que j'ai un trop-plein de crème, des crampes d'estomac, voici que maintenant un homme assez beau me lèche le visage.

Restons calme. Je lui dis :

— Attends. Finissons nos glaces.

On s'applique. Je viens à bout de la mienne. C'est un résultat. Je sors une serviette du paquet que j'ai conservé de l'avion. Je fais ma toilette. Je lui en donne à lui aussi.

— *Okay*, je te dois quoi, au juste, pour les deux abominables anneaux ?

— Tu me dois ça.

Il prend ma bouche en otage. Je le laisse faire en pensant que la terre pourrait trembler, la montagne pourrait nous tomber dessus et le ciel s'écraser sur nous, et l'on serait cimentés par la supercolle des sentiments.

Je pense non pas à ce mot abstrait «amour», mais à mes parents morts depuis treize ans. Qu'est-ce qu'ils penseraient de ce jeune homme à la bouche avide? Comment les parents s'arrangent-ils, entre ce qu'ils espéraient pour leurs enfants et ce que réserve la vie? Jimmy, après tout beau garçon, les scandaliserait dès qu'il ouvre le bec. J'imagine mon père, banquier en costume-cravate, assez guindé, au langage châtié, grand snob qui n'a jamais fréquenté de vrais gens avant de rencontrer ma mère. Je ne me souviens pas de lui, mais ma grand-mère m'en a beaucoup parlé. J'ai des photos. Clara Ire est venue d'un milieu aisé aussi, mais moins «grands bourgeois argentés» que mon père. J'aime à penser que ma véritable famille est celle de ma mère, avec ma grand-mère et sa lignée d'intellectuels, de médecins, de magistrats et de professeurs d'université. Elle m'avait dit cependant que les intellectuels aussi ont leurs préjugés… Je me rappelle encore ses propos acerbes. J'étais trop jeune pour lui demander des explications.

Les mains de Jimmy explorent ma poitrine. Est-ce qu'elles feront office d'orties?

Est-ce que ce sont les mains tendres qui font pousser les collines tant attendues? En tout cas, c'est bon. Mais je sais que même morts, mes parents n'approuvent pas ces activités dans une voiture garée dans un parking en Californie. Même morts, mes parents continuent à me parler et je suis conditionnée par ce que je pense qu'ils pensent.

— On est quittes alors? J'ai payé mes dettes?

— La dette augmente et s'intensifie. Une dette d'émotion n'est jamais remboursée.

Quand il se met à parler, il n'est pas bête. Et c'est vrai que c'est difficile de mettre un frein à tant de plaisir. J'ai pourtant l'intuition qu'il ne faudrait pas se laisser trop aller. Il y a l'histoire de Joanna, une fille en première, chez nous, qui est partie avec un garçon qui l'a draguée à moto devant l'*Hôtel de Paris*, à Monte-Carlo, d'où elle sortait d'un de nos débats pour fumer une cigarette. On ne l'a revue que trois jours plus tard, et trois mois après elle a commencé à s'arrondir... Sinistre histoire, grande première dans notre établissement si chic, une histoire qui a donné lieu à de nouveaux cours d'éducation sexuelle, centrés sur l'utilisation des préservatifs, avec des mises en garde prétextes à conversations lubriques. Joanna a eu son bébé et son bac, et sa vie n'en est pas pour autant brisée. Mais son bébé (Arthur) n'a jamais vu son père. N'empêche qu'il est très entouré et rit beaucoup. Il est devenu notre mascotte.

— Je pense qu'en ce qui me concerne il va falloir que nous parlions avec des mots avant de parler avec nos corps.

— Parler n'est pas une chose que je fais bien.

— Bon, alors, je lui tends la brochure du Code de la route, lis-moi ça et explique les mots que je ne connais pas.

— Tu es en train de t'endetter de plus en plus.

— Puisque je paie mes dettes !

21 décembre (Aider)

De retour au chantier, nous sentons que
Jeremiah est fâché que son ouvrier ait fait
une si longue pause. «On a des délais, mes
enfants. On a des prêts, on a des obligations,
on a la pluie qui va venir, il faut un toit sur
cette baraque!» Il est en sueur et je ne peux
m'empêcher de penser en bonne petite Française: la retraite n'est pas faite pour les chiens.
Le pauvre, il a l'air seul au monde. Quand le
téléphone sonne chez lui, ce sont des fournis-
seurs et des tracas, et, de temps en temps, sa
dernière femme qui l'énerve plus que tous ses
créanciers réunis. En même temps, chapeau!
Il a pris pour lui les paroles chevrotantes de
Martin Luther King: *I have a dream...* Il y va
de tout son cœur et de tout son vieux corps.

Je décide de l'aider. Je suis jeune et capable, et il n'y a pas de raison.

— Donne-moi un boulot! lui dis-je.

— Travaille plutôt ton Code de la route. Tu n'as que deux jours.

— Je peux quand même te donner quelques heures. J'aiderai à ranger les outils. Je balaierai. Je veux participer.

Son sourire me dit qu'il aimerait me prendre dans ses bras mais il n'ose pas le faire parce qu'il est plus mouillé qu'une serpillière.

— *Okay, okay.* Tu peux aider Jimmy à monter les cloisons. Tu seras sous ses ordres. Mais d'abord, va te changer. Enlève tes chaussures de femme fatale!

Il remarque tout, ce Jeremiah de malheur. Quand il te regarde, il fait l'inventaire complet, un peu comme Juliette qui commente tout ce que tu portes et qui remarque tout ce qui cloche et chaque nouveau bouton sur ton visage. Juliette connaît tes points faibles comme les puritains connaissent la Bible. Elle réussit à te soutirer tes sentiments les plus intimes, elle les enregistre et puis elle te les ressort en te jetant au visage toutes tes contradictions. Montrez-moi un être humain qui n'a pas de contradictions. Non, n'essayez pas; ça n'existe pas. Maintenant, vous aimeriez savoir – y compris toi, ma Juju – pourquoi on doit garder une telle amie. C'est parce qu'on l'aime malgré tout, malgré ses petitesses et ses insuffisances, malgré même ses grossièretés. Je l'ai toujours connue, comme une sœur à épines, et il y a tant de choses que j'aime en elle: sa générosité, sa curiosité, son originalité, sa lucidité, sa familiarité. Un vrai vieux doudou qu'on ne se décide pas à jeter.

Penser à elle me donne une envie furieuse de leur téléphoner à toutes. Je ne sais pas comment j'ai vécu ces derniers jours sans elles. Il faut que je leur parle tout de suite. Je demande à Jeremiah si je peux utiliser son téléphone et il m'assure qu'il n'y a pas de problème. Je lui promets de le rembourser et il m'assure que c'est compris dans le tarif de la pension. Je cours vite vers la maison (mais pas si vite, à cause des talons hauts). J'ôte ces instruments de torture et je m'affaisse dans le fauteuil high-tech devant l'ordinateur russe. Je fais le numéro de portable non pas de Juliette, mais de Catherine: parmi les sœurs qu'on possède, il y en a toujours une qu'on préfère. C'est la fin de la journée en Californie, et j'oublie qu'il est deux heures du matin à Monaco. C'est donc une voix légèrement angoissée qui me répond.

— Clacaca! Elle n'est pas du tout fâchée. On est fous d'inquiétude. Ça ne te ressemble pas, de ne pas donner de nouvelles.

— Désolée de te réveiller!

— T'en fais pas! Je viens de me coucher. Je ne dormais pas encore.

— Tu veilles moins tard d'habitude!

— Tu ne sais pas, par hasard, que Noël est dans trois jours? On prépare la pièce, les cadeaux et tout le tralala! Et tout ça sans toi!

J'avais complètement oublié, et ça malgré la musique de Noël dans le grand magasin bondé, les paquets-cadeaux et les arbres. Rien de tout ça chez Jeremiah!

— Oh! Catherine, ça m'est complètement sorti de la tête. Mais je t'ai quand même acheté ton cadeau.

— Le vrai cadeau, c'est ton retour. La vie n'est pas une vie sans toi. Raconte comment ça se passe. Est-ce que Jeremiah est aussi divin que ses messages?

Évidemment, j'ai frimé devant tous les copains avec les mails archi-personnels de Jeremiah. Avec l'informatique, les indiscrétions et les trahisons s'accomplissent en un clic. Si rapidement qu'on n'a même pas le temps d'avoir des remords.

Et puis, quelque chose m'empêche de lui dire toute la vérité. J'ai semé quelques graines dans mon jardin secret, je ne suis pas sûre de ce qui va pousser. Un instinct me commande de me taire et d'attendre.

— Jeremiah, oui, je parle comme quelqu'un qui se réveille, c'est quelqu'un de bien, très bien. Admirable !

— Ben, ça alors ! Tu es amoureuse d'un cow-boy !

— Oh, Catherine, je te raconterai tout ça plus tard. Il y a beaucoup trop de choses à raconter. Juste, dis un grand merci de ma part à Bérengère pour ses tampons !

— Non !

— Si ! On dit ici «Bloody Mary» ou «marée haute» !

— Et loin de nous ! Comment est «ta» famille ?

Je pense aux arbres, aux paons, aux «gosses» et à Jeremiah. Je ne peux répondre que :

— Super !

— Veinarde !

— Veinarde toi-même ! J'avais oublié Noël.

— Je croyais les Amerloques très doués pour Noël?

— Je suis chez des Ricains un peu étranges. Contestataires.

— Personne n'est contre Noël!

— Ben, jusqu'ici je n'ai rien vu venir.

— Ça veut dire que tu n'auras aucun cadeau?

— Peut-être seulement un permis de conduire.

— Quoi?!!!

— Écoute, sache que tout va bien et que j'écris tout dans mon cahier. Tu le liras dès que je rentre.

— D'accord, ma Claclacla caramel mou.

— Je te donne mon numéro de téléphone.

— Attends, je note. Mais on surveille les mails tous les jours, et pas un signe de vie.

— L'ordinateur est en russe!

— Quoi?

— N'essaie pas de comprendre. On ne comprend jamais tout, dans la vie.

– On peut quand même essayer!

– C'est peine perdue.

– Je ne renoncerai pas!

– C'est pour ça que je t'aime, ma Catherine.

– Et que je t'aime, toi.

– Tu es ma sœur de cœur.

– Plus que ça!

– Joyeux Noël!

– On te rappellera!

Je suis toute nostalgique en raccrochant. Je les vois en train de monter la pièce écrite sans doute par Ambroise. La nostalgie me conduit à la cuisine où je sors le poulet qu'on a acheté et je commence à le préparer en coq au vin de ma grand-mère. J'ai hérité de son cahier de recettes et je les connais toutes par cœur. Je mets tout ça en marche à petit feu, je prends une douche et je me place en plein milieu du lit à baldaquin avec le Code de la route. Cinq minutes après, je dors profondément et jusqu'au lendemain matin! Et moi qui allais enfin aider!

22 décembre (Regarder)

Quand j'ouvre les yeux, Jeremiah est assis sur mon lit et me regarde avec les yeux les plus tendres que j'aie vus de ma vie. Personne ne m'a jamais regardée comme ça, à part peut-être ma mère quand j'étais bébé ou ma grand-mère. Je ne sais pas ce que j'ai fait pour gagner de sa part une telle considération. J'ai négligé ma promesse de retourner sur le chantier. J'ai débauché son meilleur ouvrier. Le pire, c'est que je n'arrête pas de pester intérieurement contre cet être vétuste qui prétend faire office de famille. Sûr qu'il mérite mieux !

— J'ai dû dormir pendant quinze heures !

— C'est que tu en avais besoin.

– Je t'avais promis de revenir sur le chantier et je me suis endormie.

– Tu m'as fait ton plus beau cadeau.

– Quel cadeau?

– Le coq au vin!

J'avais complètement oublié.

– Ça n'a pas brûlé?

– C'était délicieux, mijoté à la perfection.

J'espère qu'il ne va pas recommencer à me dire que c'est un conte de fées, une symphonie, un bouquet d'astres célestes. Je n'aime pas trop ce sirop-là. Je ne dis rien, je réfléchis à ma situation. Pourquoi moi? Pourquoi faut-il que mes parents soient morts avant même que je puisse leur demander leur nom et leur adresse? Pourquoi ma grand-mère était-elle pourrie si jeune par un cancer? Et pourquoi cet homme solitaire, trois fois marié, trois fois divorcé, n'a-t-il apparemment personne au monde à qui donner son affection? Il parle à ses enfants par répondeur interposé, mais déborde d'admiration et d'amour pour eux. Et pour moi? Quel est le sens de ma vie? Est-ce qu'on décide de ses trajectoires? Ou est-ce que la vie suit son cours toute seule? Le fait est que cet homme attachant est assis au bord de mon lit. Tout ça me semble telle-ment aléatoire. Si un autre homme m'avait accueillie à l'aéroport, est-ce que je lui aurais trouvé aussi des qualités? Si on connaissait tout le monde, est-ce qu'on aimerait tout le monde?

— L'unique problème, c'est que j'ai dû manger tout seul.

— Pourquoi tu ne m'as pas réveillée?

— Ton sommeil était trop profond. Je t'ai appelée. Ton ami Ambroise t'a appelée aussi au téléphone. Je lui ai dit que tu rap-pellerais.

— Il n'a pas laissé de message?

— Tu leur manques, c'est tout. Et je veux bien le croire!

Ambroise a l'habitude d'un harem de cinq princesses. Il ne peut se passer d'aucune.

— Il pleut au nord de la Californie, aujourd'hui. Je pensais t'emmener promener.

— Mais moi, j'aime me promener quand il fait beau. Quand il fait mauvais, je préfère lire au lit.

— *C'mon, c'mon!* On y va! Tu as dix minutes pour te préparer.

Je n'ai pas tellement envie de faire les heures de voiture qu'implique le moindre déplacement ici, mais bon. Il fait un effort, je ferai un effort. Je mange la gaufre encore chaude qui m'attend sur la table avec le jus d'orange pressé et je monte en voiture.

— Tu as amené le Code de la route?

— Non, c'est vacances.

— Va le chercher.

À mon retour, il m'indique le siège du conducteur. Je n'ai pas envie, mais je m'y installe. Cette fois, on risque une distance au-delà du portail: je conduis jusqu'à la station d'essence. Là, on échange nos places parce qu'il y a un flic devant nous.

– *Okay, okay,* lis à haute voix! me dit-il en me montrant le Code de la route. Mets-toi tout ça dans le crâne.

Je m'exécute. Ça doit être le livre le plus ennuyeux que j'aie jamais lu à voix haute mais j'y mets beaucoup d'expression et de théâtralité et il rit aux larmes. Je ne me suis jamais sentie aussi amusante, ha, ha, hi, hi. Je suis mignonne à croquer. J'ai le temps de déclamer le livre entier (sans rien comprendre!) avant l'arrivée à Santa Rosa, devant le musée Charles Shultz.

Vous savez qui est Charles Shultz? Moi, je bouillonne d'excitation et de plaisir. Vous vous rappelez combien on les aimait, ces BD géniales. On a dû nous les donner au CP, parce qu'elles ne mettent en scène ni parents ni adultes, juste une bande de gosses qui parlent des problèmes de la vie sans aucune intervention de mère, de père ou de Dieu. On appelait Juliette «Lucy», du nom de cette grincheuse autoritaire et entreprenante.

Ambroise était Charlie Brown, l'éternel perdant, le frustré perpétuel. Catherine était Schroeder parce qu'elle aussi est folle amoureuse de Beethoven. Agnès était Snoopy à cause de son amour de l'écriture et Bérengère, Sally, qui ne comprend jamais rien de rien. Et moi, évidemment, j'étais Linus, à cause de mon doudou. On les avait tous lues et relues, ces bandes dessinées, et je crois qu'elles sont toujours en bonne place dans ma bibliothèque. Je suis ravie de savoir qu'il existe un musée des Peanuts.

En premier nous allons voir la patinoire. Charles Shultz adorait cette patinoire. Il y a une grande statue de Snoopy en extase. À l'intérieur, je m'attends à voir un tas d'enfants sur leurs patins, mais non, on arrive pile pour le cours du troisième âge. Il faut le voir pour le croire. Des mémés qui chez nous seraient dans des maisons de repos sont en train de valser à soixante kilomètres à l'heure. Des papys font des doubles piqués. Tous glissent avec grâce aux rythmes d'une valse de Strauss. Je n'en reviens pas. Jeremiah, sans patins, me prend dans ses bras et m'emporte dans un tourbillon. Il ne se gêne pas, et je ne suis pas mécontente.

On avale un sandwich avec une tasse de chocolat chaud avant de pénétrer dans le musée qu'abrite un bâtiment moderne. D'abord, nous regardons un film qui retrace la vie de Charles Shultz, une vie sans ombres. Après, nous regardons l'exposition.

— *Happiness is a warm puppy*, me dit Jeremiah. (Le bonheur est un chiot chaud.)

— Ce n'est pas ma définition à moi.

— C'est ça qui est bien, chacun a la sienne.

— Je ne sais pas au juste ce que je dirais. Je ne sais pas ce qu'est le bonheur. Et je ne sais pas si c'est la chose la plus importante.

Jeremiah a l'air déçu.

— Qu'est-ce qui est important, alors?

— Je ne sais pas. Je reproche un peu aux Américains de sacraliser le bonheur.

— Qu'est-ce que tu proposes de mieux?

— La justice sociale?

— Oui, en vue du plus grand bonheur de tous…

— Je vais y réfléchir. Ce qui est sûr, c'est que cette BD est heureuse. Ses personnages sont plutôt inconscients des problèmes du monde.

— Ils sont encore petits! À quel âge est-ce qu'on doit leur révéler tous les malheurs de la terre? Charles Shultz leur donne de la force. Charlie Brown affronte ses peurs et ça ne l'empêche pas de foncer. Il nous dit qu'on a le droit d'avoir peur. Mais il nous dit de persévérer. Charlie Brown souffre, échec après échec, mais il ne renonce jamais.

— C'est la moindre des choses.

— Et puis, c'est ce que tu penses de toi-même qui compte, pas ce que les autres pensent de toi. Ça ne dérange pas Linus que l'on se moque de lui parce qu'il a un doudou. Sais-tu que l'expression *security blanket** est une invention de Charles Shultz?

* un doudou

Là il me touche!

— Il montre aussi l'importance de parler, de discuter. Et puis l'urgence qu'il y a à écouter les autres. Tu vois comment Lucy a installé son cabinet de psy.

— On sait tout ça en France.

— On sait tout ça partout, mais ce n'est pas inutile que quelqu'un te le rappelle de temps en temps. Te rappelle de faire ce que tu aimes faire. Shroeder joue du piano envers et contre tout.

— C'est *okay* pour le piano, mais qu'est-ce que tu dirais si c'étaient les jeux vidéo violents ou d'autres drogues encore? Si on aime regarder la télé toute la journée, doit-on le faire parce qu'on aime ça?

— *Okay, okay,* c'est moins bien! Essayons d'aimer les choses qui font du bien. Shultz nous enseigne surtout le rire. Il a dit: «Si je pouvais offrir un cadeau à la prochaine génération, ce serait la faculté pour chacun de rire de soi-même.»

— Y compris pour les affamés, les pauvres, les esclaves… Ces orphelins…

On n'aime pas quand nos vérités débiles sont ébranlées. Jeremiah me dit :

— Arrête avec ton histoire d'orphelins. Ce n'est pas la pire des conditions sur terre !

— Qu'est-ce qui est pire ?

— Être mort !

Là, enfin, nous sommes d'accord !

23 décembre (pédaler)

Ambroise veille tard pour me téléphoner le matin.

— Tu fais quoi aujourd'hui ? me demande-t-il.

— Je passe mon permis de conduire stagiaire.

— Tu plaisantes !

— Passer ne veut pas dire réussir !

— Tu es une veinarde sans nom.

— Et toi ?

— Ben, nous, Noël !

— Écoute, ici, pas un mot sur Noël, comme si ça n'existait pas.

— Mais le Père Noël est né aux États-Unis !

— En tout cas pas dans cette maison.

— Et ta famille?

— Je te dirai tout quand je reviendrai. C'est très, très bizarre!

Je pars pour la maison dans l'arbre avec le Code de la route. À midi, Jimmy m'y rejoint avec quatre sandwiches. Il me prend le livre des mains et me pose des questions avec des mots que je ne comprends même pas, mais j'ai plus ou moins appris le code par cœur. Il est tellement impressionné qu'il m'appelle *the brain*.

À deux heures, Jeremiah conduit donc «le cerveau» à l'examen, qui dure une demi-heure. Mon supporteur reste planté là dans mon champ visuel à me faire des sourires d'encouragement. Et en un clin d'œil, je sors avec mon permis stagiaire. J'ai donc le droit de conduire avec Jeremiah à mes côtés. Je ne me suis pas senti de telles ailes depuis que je me suis lancée pour marcher.

— Pas trop vite quand même. On respecte les limitations de vitesse, en Amérique!

Je ralentis. C'est vraiment facile de conduire dans ces rues à quatre voies, mais je suis sur le qui-vive.

— C'est comme faire du vélo la première fois?

— Je n'ai jamais fait de vélo. D'habitude ,ce sont les parents qui apprennent aux enfants.

— Quoi? Tu ne sais pas faire du vélo?

On est à peine garés devant la maison qu'il court chercher un vélo dans le garage.

— On va remédier à ça tout de suite.

J'ai une peur bleue de tomber. J'ai très bien vécu jusqu'ici sans vélo. Je préfère continuer à vivre sans, plutôt que mourir avec.

Mais il y a Jeremiah avec son *«c'mon, c'mon»* si plein de force que je ne peux pas faire autrement que de monter sur la selle.

— Et puis quoi? demandé-je.

— Et puis pédale!

— Je ne peux pas. Je suis froussarde.

— Je te tiens.

Je pédale, il court en me tenant par la selle

et en disant *pedal, pedal, pedal, pedal!*, des mots qui vont résonner dans mes oreilles jusqu'à la fin (imminente) de mes jours.

Je prends de la vitesse et je me rends compte que ce salaud m'a lâchée. Je regarde derrière moi, il est loin, très loin. Je perds à la fois confiance et équilibre, et boumbadaboum. Je dégringole.

Mes deux genoux saignent. Jeremiah accourt.

— *Okay, okay,* ce n'est rien!

— Et en minijupe? C'est rien d'avoir les deux genoux en compote? En plus je saigne et ça fait mal.

— Debout, on recommence.

— Je n'aime pas le vélo! On a le droit de ne pas aimer le vélo!

— Pas chez moi. C'est illégal chez Schenkin! Tu remontes illico sur ce vélo et je te ferai une surprise.

Il me cajole comme un bébé. Et ça marche! Je remonte. Il répète quelques «*pedal,*

pedal, pedal» en tenant la selle et en courant, et puis de nouveau je m'envole à travers un long chemin et je ne reviens qu'une demi-heure après, tellement je suis enivrée par ce nouveau pouvoir.

Jeremiah est endormi quand j'entre dans la maison. Je le contemple en me disant qu'il est vieux, le pauvre, bien qu'il fasse le jeune homme, et que je l'ai crevé à le faire courir ainsi. Mais… moi, Clara-Camille-Caramel, je sais faire du vélo. Et je sais conduire une voiture! L'Amérique m'a donné des roues. J'ai envie de faire un minuscule bisou au Bel au bois dormant, mais j'ai peur de le réveiller. Je veux quand même faire quelque chose pour lui et je sais qu'il apprécie ma cuisine.

J'ai mis en route une soupe avec tous les légumes que j'ai trouvés, quand Jeremiah me rejoint à la cuisine. Il nie s'être endormi. Il n'aime pas qu'on le prenne pour un vieux qui s'endort en pleine après-midi.

— Mmiammm, la soupe! dit-il, les mains derrière le dos. Pour arroser tes nouveaux pouvoirs?

— C'est vraiment magique. Je te remercie.

— Tu ne réclames pas ta surprise?

— Ça me suffit d'avoir acquis un pouvoir magique.

Il me tend un paquet. Je m'écris:

— Mais ce n'est pas encore Noël!

— Noël?

— On est le 23 décembre, monsieur. Normalement, Noël est dans deux jours!

— *Oh my God!* Je n'ai pas pensé que tu voudrais un Noël. *Oh my God!*

— Pas toi?

— Non, je ne suis pas chrétien. Et je n'aime pas fêter ce que tout le monde fête. Je n'aime pas tout ce commerce.

— Tu es quoi, alors? Bouddhiste? Musulman?

— Je ne suis pas grand-chose, mais je suis né juif.

— Juif?

— Ça te pose un problème?

— C'est juste que je n'ai jamais rencontré de juif de ma vie. Il n'y en a pas un seul à notre orphelinat.

— Ça te fait peur?

— Ça me fait de la peine. Vous avez tellement souffert à travers l'Histoire.

— Pas moi, puisque je suis né aux États-Unis. Mais par procuration, oui.

— Et ça t'empêche de fêter Noël?

— Ce n'est pas ma fête, ou plutôt ça l'a été, notre fête, quand les bandes de cosaques profitaient du jour de Noël pour faire des pogroms dans les villages juifs! Tu vois, je n'ai pas tellement envie de fêter ça.

Je suis chamboulée et, malgré ses raisons, déçue.

Noël est le plus beau jour de l'année. Me priver de Noël, quand même! Il doit détecter ma peine.

— Ne t'en fais pas. Je vais te faire inviter

chez des gens qui le fêtent. Tu auras ton Noël. En attendant, je voudrais te montrer quelque chose sur le chantier.

Je le suis. Les « gosses » sont en train de ranger les outils. Jimmy sourit en me voyant et je lui rends son sourire. Je vais vers lui, toujours obnubilée par ma frustration de Noël.

— Tu fêtes Noël, toi?

— Bien sûr. Qui ne fête pas Noël?

Je lui montre du doigt Jeremiah.

— Oh, lui, c'est un original.

— Je peux venir chez toi?

Je n'ai jamais été si effrontée.

— Oui, volontiers, je vais prévenir. Viens déjà demain soir pour décorer l'arbre. Nous, on fait la fête plutôt la veille.

Qu'est-ce que je vais lui offrir: les fraises Tagada? Au moins, j'ai un cadeau pour sa mère. Voilà enfin une famille. J'irai faire des courses… à vélo!

Jeremiah vient vers nous.

— Un complot? demande-t-il.

— Je viens d'être invitée pour *Christmas Eve*, fais-je rayonnante.

Il dévisage Jimmy et me dit:

— *Well...*

Je ne sais pas trop ce que veut dire ce «*well*», ce «eh bien», ce «tiens, tiens», ce «c'est que», ce «qui sait», ce «m'enfin», ce «bof»...

— *Okay, okay, c'mon.*

Il me pousse vers l'escalier et voilà qu'il y a tout d'un coup des murs au premier étage.

— C'est magique! dis-je. Un jour c'est un trou dans la terre, le lendemain il y a des murs. C'est comme «Au commencement, Dieu a créé le ciel et la terre».

— Exactement, ma fille.

Personne ne m'a jamais appelée «ma fille».

— Tu sais, tu joues à être Dieu quand tu écris une histoire. Imagine alors l'exaltation que je ressens quand je crée une maison, ou même quand me vient l'idée d'une maison. Cette idée enveloppe la vie des gens, dans ce qu'ils ont de plus intime.

— Ma grand-mère voulait mourir chez elle. Elle a refusé d'aller à l'hôpital.

— Eh oui, une maison pour y vivre et pour y mourir. On conçoit l'espace et la lumière… On a une palette de matériaux divers venus du monde entier pour l'habiller.

Je touche les différentes surfaces. Je vois ce qu'il est en train de me dire. Je crois que ce Jeremiah est un poète de l'espace. Je dis sincèrement :

— Je comprends.

— Et puis, le vrai saut vers le septième ciel, c'est de transformer des dessins et des plans en réalité.

— Mais c'est tellement de boulot, et tu te fatigues tant. Est-ce que ça marche toujours ?

— Je sais, je sais. Je suis plus fatigué maintenant qu'il y a trente ans ou vingt ans ou même que l'année dernière. Mais je ne peux pas renoncer à la drogue de la construction. Je suis accro. C'est tellement génial, apprivoiser l'espace. Voilà la réalité d'un bel échantillon d'architecture.

J'admire la vue des ouvertures pour les fenêtres.

— J'aimerais tant voir la maison finie.

Je flaire le bois.

— Oui, et bien sûr l'odeur de chaque élément contribue au bouquet, que ce soit le béton nouvellement versé ou les vernis ou le fer forgé tout chaud ou la sciure ou les colles. Chaque élément a sa propre forme de séduction.

Que c'est bon d'avoir une passion dans la vie ! Les passions convertissent les gens en poètes.

— Alors, quand c'est enfin fini, tous les morceaux du puzzle s'imbriquent parfaitement pour créer l'unité et l'esprit. Les occupants bénéficieront de ces efforts. Et cela doit être le but de chaque architecte et la joie de chaque bâtisseur.

Je n'ai jamais prêté attention à tout ça, mais le discours de Jeremiah commence à changer ma vision du monde.

24 décembre (Réveillonner)

Le paquet que Jeremiah m'a donné hier, la récompense de mon exploit de pilote de vélo, est sur mon ventre quand j'ouvre les yeux. J'ai oublié de l'ouvrir. Il a dû le placer là. Un jour avant Noël. J'épluche le papier de soie pour arriver à un rectangle de tissu. L'effet qu'a ce tissu sur moi est une éruption d'émotions. Je déplie le rectangle pour m'assurer que mes yeux ne me trompent pas.

Je le frotte contre mes joues. Je le promène sur mon corps. Je le tiens dans une main, prisonnier de mes regards. Inévitablement, je me mets une fois de plus à sangloter. L'émotionnelle se liquéfie.

Non, mais comment est-ce possible ? Jeremiah m'a-t-il espionnée ? Sait-il que j'ai un doudou ? A-t-il cherché, dans un musée de tissus, exactement le même motif de minuscules iris imprimés sur soie ? Ses iris sont presque aussi fanés que les miens bien que le tissu ne soit pas aussi fripé. Est-ce qu'il peut y avoir de telles coïncidences ?

D'une main donc je tiens le tissu alors que l'autre s'agrippe à mon doudou. Est-ce que j'ai quinze ans ou deux ? Même si on me prouve que c'est impossible, j'ai encore en moi le souvenir du moment où ma grand-mère m'a donné son foulard pour me servir de doudou. Elle m'avait dit que c'était son doudou à elle et qu'elle me l'offrait parce que maintenant « c'est toi mon doudou ». Je ne sais pas si elle m'a pris dans ses bras à cette occasion. Je sais seulement que c'est mon but dans la vie d'être et d'avoir un doudou humain.

Je me lève pour étendre les deux bouts de tissu l'un à côté de l'autre. Ils sont jumeaux sauf pour un détail que je n'avais jamais remarqué. Sur le tissu surprise il y a un minuscule cœur dans lequel un «P» est brodé, tandis que sur mon doudou au même endroit il y a un «J» dans un cœur.

J'entends des pas et je cache vite mon doudou sous l'oreiller. Jeremiah chante «Breakfast!» avant d'entrer dans ma chambre.

– Ça te plaît? Si tu ne veux pas le porter, ça peut toujours te servir de doudou! dit-il sans savoir à quel point il a frappé juste. Il a l'air tellement fatigué que ses yeux sont aussi rouges que les miens après ma crise de larmes. Il me regarde et me prend dans ses bras.

– Qu'est-ce qu'il y a, ma chérie? *(sweetheart)*. Je suis désolé de ne pas être ce que tu attendais de ton séjour en Californie. C'était irresponsable de ma part.

– Non, non, ne t'en fais pas. C'est bien mieux que ce que j'espérais. Enfin, différent, mais très intéressant. Et puis il y a toi, et toi tu n'es pas banal! Et puis… quelle est ta couleur préférée?

— Le bleu. Bleu ciel, bleu-gris, bleu mer, bleu des blues.

— Je vais faire quelques courses à vélo ce matin. Je ne sais pas comment je vais faire du vélo à Monte-Carlo, alors autant en profiter ici.

— Et moi, je vais aller acheter du matériel pour le chantier. Après, je t'emmène à ton cours de danse du ventre.

— Ah oui, j'avais oublié.

— Au moins un cours, pour te perfectionner.

— Tu viens ce soir chez Jimmy?

— Non, non, merci. J'ai pas mal de travail au bureau.

— Je suis contente de voir au moins une famille.

— Le mot «famille» recouvre beaucoup de situations bizarres.

— Pourquoi? La famille de Jimmy est bizarre?

— Promets-moi juste une chose, chez eux : de ne pas trop boire d'alcool.

— Tu me prends pour une ivrogne !

— On est vite influencé, dans la vie. Tu me le promets ?

— Je te le jure ! Et puis, Jeremiah, j'aime beaucoup ton cadeau !

Après un petit déjeuner succulent — les Américains sont les grands gastronomes du p'tit déj —, je monte sur le vélo comme si j'étais née dessus. J'achète ce que je pense être un cadeau génial pour Jeremiah et puis un cadeau drôle pour Jimmy : une fourchette télescopique qui s'allonge pour aller piquer dans l'assiette des voisins. Le cours de danse est extra et je me demande si je pourrai continuer la danse du ventre à Monaco ou à Nice.

Jimmy vient me chercher. Cette fois, je porte la simple robe noire que j'avais prévue pour la circonstance, mais avec mes talons hauts. J'ai tous les cadeaux dans mon cabas. Jimmy se gare devant une caravane. Il y a une pauvre guirlande lumineuse rachitique qui clignote autour de la porte. Jimmy essaie de m'attirer vers lui, mais je suis trop impatiente de rencontrer sa famille.

– J'ai payé mes dettes, non?

– Si c'est un simple devoir lié à un code d'honneur, oui.

– J'ai hâte de rencontrer une vraie famille américaine.

– Une «vraie» famille? C'est beaucoup dire!

Un homme grand et maigre ouvre la porte. Grâce à la ressemblance, je déduis que c'est son père. Lequel me le confirme en me tendant la main et en annonçant: «Dick Russell.» Je n'entends pas des foules de gens autour de l'arbre nu. Je dois être la première invitée.

Jimmy me montre des boîtes d'ornements. Il est en train de mettre des graines éclatées de pop-corn sur un fil. Dick vient avec une boisson qui ressemble à un milk- shake.

– Qu'est-ce que c'est? demandé-je.

— *Eggnog. Delicious!*

— Il y a de l'alcool?

— *A little.*

— Je suis très allergique. Demandez à Jimmy. L'autre jour, j'ai bu une bière et ça m'a paralysée.

Il faut toujours avoir un bon prétexte pour ne pas boire.

— On ne peut pas fêter Noël sans eggnog. Je vais t'en faire un sans alcool.

Je place mes cadeaux sous l'arbre.

— D'abord, il faut le décorer, me suggère Jimmy.

— On ne doit pas attendre les autres?

— Les autres? Il n'y a que nous trois.

— Tu n'as ni frères ni sœurs? Pas de mère non plus?

— J'en ai en pagaille! Mais ils se sont tous barrés avec ma mère quand elle a quitté mon père. Je suis le seul à être resté avec lui.

Et vlan! Je suis enfin dans une famille… fantôme! Est-ce un destin, ça?

— Où vivent-ils?

Jimmy hausse les épaules.

— Aucune idée. Nous n'avons pas de nouvelles d'eux depuis dix ans.

— Pourquoi sont-ils partis?

— Parce que mon père est alcoolique.

— Et toi?

— Et moi aussi!

— Tu te soignes?

— Je vais aux réunions des Alcooliques anonymes. Mais là, c'est Noël.

— Il travaille, ton père?

— Comme moi, quand il peut lâcher la bouteille. Il était un entrepreneur prospère et puis il a eu de gros ennuis sur un chantier et il s'est mis à boire. Il ne s'est jamais plus arrêté. Avant, nous avions une grande maison. Mes frères et sœurs sont allés à l'université. Je ne sais pas ce qu'ils sont devenus. Je suis le plus jeune. J'avais huit ans.

— C'est triste.

— Jeremiah est un type génial. Il nous

donne notre chance. Mais nous n'arrêtons pas de le trahir avec des rechutes.

Il commence à mettre les guirlandes de pop-corn sur l'arbre et je l'imite en accrochant les boules métalliques sur le pitoyable sapin. Son père arrive en titubant, porteur de sandwiches identiques à ceux que Jimmy mange tous les jours sur le chantier: thon mayonnaise et l'autre variété haut de gamme de beurre de cacahuète. Nous sommes loin du foie gras et du caviar de mes Noëls en pension.

— Je n'ai jamais été à l'intérieur d'une caravane, dis-je, histoire de lancer un sujet.

— C'est dix fois plus chaud qu'une maison en été et dix fois plus froid en hiver.

— C'est un peu comme la cabane dans l'arbre, compact avec tout ce qu'il faut.

Je fais des efforts.

Eux aussi. On fait la conversation. Ils sont gentils. Ils me posent des questions sur la France, dont ils connaissent à peine l'existence.

Tout juste s'ils ne pensent pas que c'est encore une monarchie. Une fois de plus, ce n'est pas ce que j'attendais; mais ce n'est pas désagréable. Néanmoins, je suis soulagée quand Jeremiah vient me chercher. J'ai eu ma dose.

Dans la voiture, Jeremiah m'explique qu'il a eu peur qu'ils ne soient trop bourrés pour me ramener. Il avait raison.

— Il a de la chance quand même d'avoir au moins un père. Et puis, ça pourrait s'arranger avec sa mère. Elle est vivante. Et tant qu'il y a de la vie… Est-ce que tu t'es jamais dit que, toi aussi, tu as de la chance d'être qui tu es?

— Tous les jours! Je suis vivante! C'est une chance et un cadeau. Ça n'empêche pas que je sois jalouse de ceux qui ont des parents. C'est ce que j'aurais désiré le plus au monde et que je ne peux pas avoir.

Jeremiah se tait. Et puis il arrête le moteur. Et sa tête tombe sur le volant.

Je me dis: «Le pauvre, il est tellement fatigué, avec la vie qu'il mène, qu'il s'endort au volant.» Mais il met sa main droite sur son bras gauche et je vois bien qu'il ne s'est pas endormi. Il y a autre chose. Je m'affole.

— Qu'est-ce que tu as? Qu'est-ce qu'il y a?

— Ne panique pas, *my sweetheart*. Je vais essayer de me glisser sur ton siège et tu vas prendre le mien. Ensuite, je vais te diriger si je peux jusqu'à l'hôpital. Si je tombe dans les vapes, tu demanderas le chemin dans une station-service.

J'exécute strictement ses ordres. Je n'ose même pas le regarder, mais je sens qu'il a mal, très mal. Ça ne l'empêche pas de semer des blagues entre les «à gauche», «à droite» et «tout droit» de l'itinéraire. Garder son humour quand on va peut-être mourir, ce n'est pas évident. J'essaie de suivre l'exemple. Heureusement qu'il m'a déjà donné des leçons de conduite. Je retiens mon souffle jusqu'à la porte des urgences.

On s'occupe de Jeremiah pendant que je me gare. Une fois garé, tout se lâche et les sanglots recommencent. Je pleure un bon moment avant de me rappeler que Jeremiah est tout seul.

Je n'ai pas de mal à le retrouver parce que justement il n'est pas tout seul. Il est entouré d'infirmières qu'il fait rire. De bonne humeur et toujours éveillé, il me fait comprendre qu'il a eu une crise cardiaque, qu'on va lui faire des examens et qu'il doit passer la nuit à l'hôpital.

— Mais je te promets de sortir demain.

Il cherche son portefeuille pour me donner de l'argent pour un taxi.

— Non, pas question. Je reste avec toi.

— *Okay, okay,* c'est un petit réveillon insolite. Il nous manque juste le champagne.

Il parlemente avec les infirmières pour que je reste à côté de lui puisque je n'ai pas le droit de rentrer seule en voiture. Il me confie sa montre et son portefeuille que je mets dans mon sac et l'on nous installe dans une chambre pour deux. Il téléphone à ses enfants.

Il a l'air apaisé. Moi pas! On lui ajuste des tuyaux intraveineux en lui disant que le cardiologue s'occupera de ça demain. Et puis on nous laisse, sur un «*Merry Christmas*» tonitruant.

— Je devrais au moins te souhaiter un joyeux Noël, moi aussi. Tu peux être fière de m'avoir conduit à bon port. Tout ira bien, tu verras.

Il n'en est peut-être pas si sûr. Je lui caresse la joue et lui confirme, malgré mes doutes :

— Oui, tout ira bien.

25 décembre (Hériter)

Et voilà, dodo. Quand j'ouvre les yeux, Jeremiah n'est plus là. Il a disparu avec son lit. Je suis affolée. Je n'ai pas besoin de m'habiller puisque j'ai dormi dans ma robe. Je sors dans le couloir, deux personnes viennent à ma rencontre, une grande femme brune aux longs cheveux frisés et un type qui ressemble à Tom Cruise.

— Je suis Pearl, la fille de Jeremiah, et voici mon frère Daniel.

Je pile devant eux.

— Ne t'inquiète pas. Papa est un «surviveur»! On vient d'arriver de Los Angeles. Attends-nous ici. On va prendre des nouvelles. Ils doivent être en train de l'examiner.

Je retourne dans la chambre pour me laver, me remettre du rouge à lèvres. Ensuite j'attends. Faute de la moindre lecture, je me mets à fouiller dans mon sac et à regarder les photos des amis, mon passeport, tout ce qui s'y trouve. Je tripote la lettre fermée que j'ai toujours avec moi. Puis je passe au portefeuille de Jeremiah. Je vérifie que les photos de ses enfants ressemblent aux modèles. J'essaie de justifier mentalement mon indiscrétion par ma nervosité, mais je sais que ça ne se fait pas. De toute façon, il n'y a pas grand-chose à voir : des cartes de crédit, quelques dollars, des reçus. Et puis juste une autre photo, dans un compartiment à part. Je l'extrais et je fixe le visage de la jeune femme qui me sourit.

Je la connais.

Pearl et Daniel reviennent, tendus et crispés : ils ont roulé toute la nuit.

— On lui fait une angiographie.

Anticipant ma question, Pearl explique :

— On lui injecte un liquide coloré dans les veines pour voir où est le blocage.

— Ça fait mal?

— On lui a fait une anesthésie locale. Il ne sent rien. Il dort à moitié et blague avec le docteur, dit Pearl.

Daniel, qui n'a rien dit jusqu'à maintenant, m'invite à venir prendre un petit déjeuner.

Nous sommes affamés.

Je raconte comment je suis arrivée chez leur père. Que j'avais gagné un concours dont le prix était de passer Noël dans une famille américaine. Une vraie famille, avec des enfants de mon âge. Et ici, leur père ne fête même pas Noël.

— Parce que c'est Noël? interroge Daniel.

— Vous non plus, vous ne le fêtez pas?

— Les enfants suivent souvent l'exemple de leurs parents…, dit Pearl.

«S'ils en ont…», me dis-je.

Je suis en émoi à cause de la photo trouvée dans le portefeuille de Jeremiah. Et si

Jeremiah mourait par malheur, je ne saurais jamais pourquoi cette photo s'y trouve. Mais c'est pire que ça: je me rends compte que je m'y suis attachée, à cet homme excentrique, original et marginal, solitaire et sociable à la fois. Je crois même que je l'aime, quoique je ne sois pas habituée à ce vocabulaire. Je n'ai jamais rongé mes ongles non plus et là, je me rends compte que mon index est dans ma bouche.

— Bon, on va aller voir…, dit Pearl, hésitante, inquiète malgré sa froide lucidité.

Quand nous arrivons dans la chambre, Jeremiah est endormi dans le lit avec des tuyaux partout. On s'assoit autour de lui.

Quand il ouvre enfin un œil, il est tout confus.

— Oh, vous êtes là! s'exclame-t-il faiblement. Il ne fallait pas vous déranger. C'est rien. Je vous ai téléphoné seulement parce que je vous ai toujours promis de vous avertir, si jamais…

Une belle jeune Indienne entre, en blouse blanche, le stéthoscope en sautoir. J'aimerais être médecin comme elle. Elle nous montre sur l'ordinateur ce qu'elle vient de faire subir à Jeremiah.

— Il y avait deux blocages : un ici, et un là. J'ai passé l'aspirateur pour nettoyer celui-ci et là, j'ai mis un petit ressort pour ouvrir la veine qui s'était rétrécie. Ça s'est bien passé. Il est comme neuf. D'ailleurs il faudrait le promener d'ici à une heure.

— J'ai faim ! Je n'ai pas bouffé depuis hier soir !

— Il peut se nourrir ? demande timidement Daniel.

— Bien sûr, c'est Noël ! Il a eu un beau cadeau : la vie !

— Je peux me casser d'ici ?

— Pas encore, on vous aime trop. Vous avez tapé dans l'œil de l'infirmière en chef. On vous garde jusqu'à demain.

— Papa, tu ne bouges pas. Nous allons te

chercher de quoi manger. Viens avec nous,
me dit Pearl.

Je les suis jusqu'à leur voiture.

— On va lui faire une fête, me dit Pearl,
pour une fois que nous sommes ensemble.

Chez le traiteur presque français, je déniche
du foie gras alors que Daniel et Pearl emplissent
le Caddie avec tout ce qu'il faut pour un
pique-nique en chambre.

Jeremiah est debout à pousser son por-
tique dans les couloirs quand nous arrivons.

— Viens, papa, on va fêter ta résurrection.

— Je suis content que tu sois encore là,
papa, dit Daniel, qui ne parle presque jamais.

Je suis jalouse de cet homme qui a le privi-
lège d'appeler quelqu'un papa. Je n'ai jamais
appelé Jeremiah quoi que ce soit et je ne sais
toujours pas, d'ailleurs, comment l'appeler. Je
me contente de lui demander comment il se
sent.

— *Fantastic!* me dit-il. C'est un miracle! Il
y a quelques années, sans les progrès de la

médecine, j'étais mort. Et c'est grâce à toi aussi. Tu m'as conduit comme un pilote de Formule 1.

— Sous ton contrôle!

Jeremiah raconte mes exploits à ses enfants. Je prépare les tartines. On mange et, malgré le lieu et les circonstances, c'est une fête digne de Noël.

— Papa, il va falloir travailler moins maintenant.

— Le médecin n'a rien dit de tel!

— On aimerait te garder, même si nous ne sommes pas tout près et un peu négligents.

— Je ferai ce qu'il faut, ne t'en fais pas.

— On va chercher un hôtel près de l'hôpital et on restera jusqu'à demain, papa. Tu viens avec nous, Clara.

— Non, j'aime bien cet hôtel. Je me suis habituée au lit ici et au service. J'aime le luxe!

Derrière le dos de son père, Pearl me sourit c'est un merci muet.

Quand ses enfants partent pour la nuit, je reste donc à côté de Jeremiah. Il prend ma main :

— Tu es une fille épatante !

— Pas plus qu'une autre. Mais j'ai commis une indiscrétion : j'ai fouillé dans ton porte-feuille et j'ai regardé tes photos.

— Il n'y a pas de mal.

Je lui montre la photo. Celle de la femme que je connais. Je la connais, parce que j'ai la même photo encadrée sur mon bureau, à l'école.

Jeremiah me sourit.

— Tu veux savoir qui c'est ?

— C'est ma grand-mère, Jeremiah. Elle s'appelait Perle Pélissier.

— Ce n'est pas possible ! Ce n'est pas possible !

Il me regarde, totalement incrédule.

Moi, bien sûr, j'ai les larmes aux yeux. Il m'en faut peu, je sais, mais là, c'est tout de même beaucoup d'un seul coup.

— Tu as organisé tout ce cinéma, n'est-ce pas? C'est toi qui as créé ce concours à la noix. Tu m'as fait venir. Tu as tout bidouillé, comploté. Pas vrai?

Il me dit avec solennité:

– Je t'assure, je te jure que non.

— Et mon doudou, alors? Comment tu savais?

— Je ne savais rien du tout. Je voulais simplement t'offrir ce que j'avais de plus précieux.

— Et ma grand-mère? Comment la connais-tu?

— Je ne connais qu'elle. C'est la seule femme que j'aie jamais aimée. Je n'ai aimé qu'elle toute ma vie.

Des larmes lui viennent aux yeux, à lui aussi.

— Tu savais que j'étais sa petite-fille?

— Pas du tout. Pas du tout. Je te le jure et re-jure. Je n'arrive pas à le croire. Dès le départ, tu me la rappelais, mais je me suis dit le truc

bête, du genre «toutes les Françaises se ressemblent…». J'ai toujours hébergé des Françaises.
Oui, bien sûr, c'est un peu intéressé. Tout ce
qui est français me la rappelle. Je fais des kilomètres pour aller voir un film français. Et,
quand on m'a proposé une orpheline française,
j'ai tout de suite accepté.

— Quand as-tu su que j'étais sa petite-
fille?

— Je l'apprends à l'instant, je te le jure. Je te
le jure! J'étais abasourdi quand je t'ai vue à
l'aéroport, quand tu as fait sa daube, quand tu
as porté sa robe. Mais des choses pareilles
n'arrivent que dans les contes de fées.

— Les contes de fées doivent s'inspirer de
la vie.

— Je n'arrive pas à le croire. Même si tu
es son sosie. Et même si je t'ai aimée dès la
première minute. Non, avant, je t'ai aimée à
travers tes lettres.

Il y a mille questions à poser. Il s'est calmé,
mais ses larmes coulent toujours. Je lui laisse le

temps de se reprendre avant de continuer l'interrogatoire.

— Pourquoi vous n'êtes pas restés ensemble? Pourquoi ma grand-mère t'a quitté? Pourquoi, si elle t'aimait…

— Elle a dit que l'Amérique lui avait fait du bien, lui avait appris à se sentir bien dans sa peau, mais qu'elle préférait se sentir bien dans sa peau en France.

— Tu ne l'as pas retenue?

— Elle me l'a interdit. Peut-être étais-je trop fruste. Elle avait peur de ses parents, à qui elle avait juré de revenir s'ils la laissaient partir en Amérique. Ce n'était pas si habituel, à l'époque.

— Vous vous êtes écrit?

— Jusqu'à son mariage, quelques mois plus tard.

— Quelques mois?

— Je sais qu'elle m'aimait. Au moins l'ai-je cru. J'ai relu ses lettres des milliers de fois. Chaque mot me le prouve. J'aurais aimé que le monde entier sache combien nous nous aimions.

— Mais elle t'a quitté. Ça me déçoit d'elle.

— Oh non. Tu ne peux pas la juger. C'était une autre époque avec d'autres mœurs. Les parents étaient plus autoritaires, plus dominateurs. Obéir aux parents était plus normal que d'obéir à son cœur. J'ai passé ma vie en deuil de cet amour.

— Tu as raison. Je ne peux pas la comprendre. Pourtant elle était si forte. Comment a-t-elle pu faire une chose pareille ?

— La vie n'est pas simple. On ne peut pas toujours faire comme on veut. Et puis, les distances étaient plus grandes et les moyens de communication plus lents. On s'est tous les deux installés dans d'autres vies.

— Fadaises !

— … et puis, elle était enceinte quand elle est partie. Ses parents ont dû la forcer à se marier.

— Elle n'a eu qu'un seul enfant?

— À ma connaissance, oui…

Et vlan! J'éclate en sanglots.

26 décembre (Révéler)

L'enveloppe était fripée à force d'avoir séjourné dans mon sac. Je l'ai montrée à Jeremiah: «Pour Clara, quand elle aura dix-huit ans.» Je l'avais subtilisée dans le coffre-fort de la banque. Chaque année, à mon anniversaire, l'avocat m'accompagnait aux coffres pour chercher le cadeau qu'elle m'avait laissé. Elle avait prévu dix-huit ans de cadeaux, des bagues et des bracelets et autres bijoux. L'avocat était toujours gêné lors de ces descentes à la banque. J'ai profité d'un moment d'inattention de sa part pour glisser l'enveloppe dans mon sac. Mais je ne l'avais jamais ouverte.

J'avais reçu le plus beau cadeau de Noël qu'on puisse espérer, le plus beau cadeau de ma vie. J'avais reçu un grand-père. Je n'ai eu aucune difficulté à l'appeler papy: j'aurais été prête à appeler un gorille papy. Par la même occasion, j'ai hérité d'une tante et d'un oncle. Et du coup, je ne suis plus orpheline!

Pearl ramène son père à la maison même s'il proteste en disant qu'il est parfaitement capable de conduire. Daniel et moi suivons dans la Volvo.

Jeremiah insiste pour leur faire visiter le chantier. Leur manque d'intérêt le chagrine. Par contre, moi, chaque détail me réjouit.

— Ça saute toujours une génération, me chuchote Jeremiah.

Avant de partir, Pearl et Daniel s'assurent qu'il est bien dans son lit et qu'il a de quoi manger. Dès qu'ils ont tourné le dos, Jeremiah se lève pour fouiller dans ses affaires, téléphoner, courir dans tous les sens. Je renonce à lui dire de ralentir, mais je lui jette un regard menaçant.

— On vit jusqu'à ce que l'on meure! me lance-t-il en réponse.

— Mais on fait aussi ce qu'il faut pour durer le plus longtemps possible, en principe. Je ne veux pas d'un grand-père mort!

— Le docteur m'a dit de vivre normalement. Simplement, je ne dois pas oublier mes médicaments.

— C'est parce qu'elle ne sait pas comment tu vis. Elle pense peut-être que tu es un gentil petit retraité en vacances.

— *Okay, okay.*

— Si tu retournes au lit, je te lirai quelque chose.

— Chantage!

— Tu me l'as fait, à moi aussi!

— C'est quoi, ce que tu vas me lire?

— Quelque chose qui va t'intéresser.

— *Okay, okay,* j'y vais.

Il se met au lit, mais je vois bien qu'il a gardé ses chaussures.

— Pour de vrai!

— *Okay, okay !*

Il ôte ses chaussures et s'allonge sous les couvertures. Je m'assois sur le lit avec la lettre.

Je tremble en l'ouvrant. Je commence à lire, et à traduire en même temps :

« Ma chère Clara,

Tu as dix-huit ans et tu as reçu toutes les breloques et fanfreluches que j'ai mises dans le coffre pour toi. Ça au moins, c'était facile. Ce que j'ai à te dire aujourd'hui n'est pas vraiment un cadeau. Je voudrais te parler de mon plus grand regret.

Tu as dix-huit ans, tu es belle, tu es intelligente, j'en suis certaine. Moi aussi, je l'étais. Sauf que mon intelligence était conventionnelle, congelée par ma culture et mon éducation qui lui servait de camisole. Alors que la vraie intelligence se nourrit de curiosité envers d'autres lumières et d'autres horizons.

Tu as dix-huit ans... »

Là, je commence à me sentir coupable. J'aurais dû attendre de les avoir. Et puis Jeremiah semble souffrir, ses yeux fermés montrent sa peine.

— Continue ! murmure-t-il. Elle aurait dû laisser cette lettre pour tes six ans, quand elle est morte ! Pourquoi n'a-t-elle pas pensé à t'envoyer ici ? Tu aurais grandi chez moi !

J'en ai la chair de poule.

« *Tu as dix-huit ans et tu as le droit de connaître tes origines. J'étais un peu plus âgée que toi quand j'ai convaincu mes parents de me laisser partir pour Los Angeles, dans une famille du genre de la nôtre. Ce n'était pas chose courante, à l'époque, mais mes parents étaient des intellectuels, j'étais fille unique et ils voulaient me faire plaisir. Je suis donc partie et j'ai adoré l'Amérique, son ambiance, la chaleur des Américains et surtout l'amour d'un garçon nommé Jeremiah Schenkin.*

Je ne sais pas si ça t'est déjà arrivé, mais tu n'ignores sans doute pas que tomber amoureuse, ça ne se produit pas tous les jours. Et quand tu es frappée, quand tu «tombes» (c'est la seule fois où «tomber» veut dire «s'envoler»), tu découvres que c'est un miracle.

Bon, ce Jeremiah n'était ni beau, ni laid, ni grand, ni petit, mais pétillant et étincelant, spontané, créatif, extraverti, cérébral, éclectique et très, très câlin. Il aimait passionnément la musique — comme moi. »

– Grand bien me fasse! intervient Jeremiah.

« Chaque minute avec lui était intense. Les mots qui me viennent à l'esprit sont plaisir, discussion, délices et puis ce mot américain que nous n'avons pas en France, «fun». Jeremiah n'aimait pas à la légère, je n'étais pas pour lui un flirt de passage. Il a captivé mon âme et mon corps. Il me touchait et chaque cellule de mon être était prête à éclater comme le pop-corn si cher à son cœur d'Amerloque. »

– Grand bien me fasse! s'écrie encore Jeremiah.

J'ai toujours des frissons.

« Si je sais trois choses, c'est que j'ai aimé à la folie trois personnes dans ma vie : ta mère, toi et Jeremiah Schenkin. »

— Grand bien me fasse ! tonitrue Jeremiah.

Ses yeux sont de véritables puits. À chaque larme, son corps est secoué d'une sorte de hoquet.

— Je vais m'arrêter. Ce n'est pas bon pour toi, les émotions.

— Non, vas-y, c'est trop bon qu'elle avoue m'avoir aimé.

« Et si j'ai un regret, c'est de ne pas être restée avec lui. Je ne vais pas essayer de te l'expliquer. En gros, j'ai cédé à la pression familiale. Toi, au moins, tu n'auras pas ça ! Je l'ai regretté toute ma vie, à chaque instant, à chaque minute, nuit et jour, et à chaque soupir.

Il ne faut pas croire non plus qu'il ait été complètement innocent. Il aurait dû venir me chercher par les cheveux. Bien sûr, je lui ai interdit tout contact, mais j'ai toujours espéré qu'il braverait l'interdit. »

— Et voilà ! dit Jeremiah, c'est aussi le regret de ma vie. J'aurais du y aller et la traîner jusqu'ici. Mais le temps de m'en rendre compte, elle était mariée.

« *Pour aggraver mon cas, j'étais enceinte quand* *mes parents m'ont sommée de revenir en France.* *J'étais affolée. J'ai agi comme la fille obéissante que* *j'étais. Je n'arrivais pas à l'avouer à mes parents.* *Ils avaient trouvé un candidat digne de moi et, sans* *s'occuper de mon avis, ils organisaient la noce.* *Grâce à une amie, j'ai pu avorter. Dieu sait com-* *bien c'était dur, moralement, physiquement et* *matériellement… surtout à l'époque.* »

Jeremiah me prend la main. C'est mon tour de sentir les digues lâcher. C'était si bon d'avoir un grand-père à côté de moi. Le Seigneur donne, le Seigneur reprend. Je crois qu'hier était le plus beau jour de ma vie. D'un coup je me retrouvais dotée d'un grand-père, d'une tante et d'un oncle. Et aujourd'hui me voilà à nouveau orpheline, triplement orphe-line.

Jeremiah devine mes pensées.

— Qu'est-ce que ça peut faire ? Tu es tout comme ma petite-fille. Tu l'étais avant que je sache que tu es la petite-fille de Perle. Ça ne fait rien. On s'aime pareil. L'amitié est aussi riche que le sang.

Je ne peux plus lire, tellement je suis bouleversée. Jeremiah me prend doucement la lettre des mains, m'attire dans ses bras, chausse ses demi-lunes et continue. Il sait plus de français que je ne l'ai cru :

« Je suis restée une semaine chez mon amie pour récupérer. Il s'agissait d'Eugénie, que tu as connue. Elle m'a fait la morale, m'a remontée, m'a convaincue que Philippe-Jean n'était pas seulement riche, mais bon. D'après elle, j'avais de la chance.

Mais quand tu connais le paradis d'un baiser entièrement partagé, tu ne peux plus te contenter d'attouchements convenus et prodigués par devoir. La seule façon pour moi de supporter Philippe-Jean était de fermer les yeux et d'imaginer Jeremiah. »

– Grand bien me fasse ! gémit Jeremiah.

« Philippe-Jean, le pauvre, est décédé peu après la mort de ta mère. Je rêvais de retrouver Jeremiah, mais j'étais trop brisée par la mort de ma fille. Je craignais trop d'être une nuisance pour un homme

qui avait dû se faire une vie sans doute bien rem-
plie. »

C'est au tour de Jeremiah de renifler.

– C'est trop dur! C'est trop bête, c'est
tragique. Deux personnes qui s'aiment tant.
Pourquoi? Pourquoi, bon sang? Deux vies
gâchées!

– Une vie n'est jamais gâchée, c'est bis-
cornu, c'est difficile, mais c'est néanmoins une
vie, et tu as bien profité de ta vie et de ta passion, et tu as aimé de nouveau, et elle aussi.

Comme si elle était là à m'entendre, ma
grand-mère continue:

*« Ne me plains pas. J'ai vécu, j'ai élevé ma fille,
je t'ai aimée toi aussi à la folie. Les six ans que j'ai
passés avec toi étaient remplis de la joie de voir un
enfant splendide grandir. Je suis désolée de devoir te
quitter. J'ai pourvu à ton éducation comme j'ai pu et
j'espère que tu n'as pas été trop malheureuse.*

*Voilà, ma chérie. Tu es en âge d'amour. Voici ce
que je voulais te dire: laisse-toi guider par ton cœur.
Ne fais pas comme moi. Et aime la vie. Ah, la vie!*

Je t'embrasse comme je le faisais quand tu venais te blottir dans mes bras en disant : "Un gros câlin, mamie !"

Et puis, si jamais ton chemin doit croiser celui de cet homme que j'ai tant aimé, donne-lui le plus gros des câlins avec toute la force de tes jeunes bras. Dis-lui que je l'attendrai comme d'habitude : éternellement. Et que je le regrette, et qu'il me pardonne.

Mamie »

27 décembre (Téléphoner)

Trop bizarre, de recevoir une mission totalement irréaliste et de pouvoir l'exécuter dans l'instant!

Mais Jeremiah larmoie encore et je ne peux pas le consoler.

— Laisse-moi, me souffle-t-il.

Je pense que c'est la seule chose à faire. Parfois, il faut obéir. Maintenant il ne sort plus de sa chambre, même quand je crie «*breakfast*» ou «*lunch*» ou «*dinner*». Je passe la tête par l'entrebâillement et il me dit:

— Pas encore!

Il est en plein travail de deuil. Moi qui vis dans le deuil permanent, j'ai l'habitude. Je suis morose et prostrée aussi, mais le téléphone me sauve. C'est Catherine qui me raconte sa rencontre sur la plage avec un garçon qui l'a complètement ébranlée ; et comme Catherine raconte toujours d'une façon si drôle, le moindre détail prend des dimensions de gag burlesque. Un baiser n'est plus un baiser, mais une course à obstacles qui l'a laissée couverte de bleus.

Quand on n'a pas de famille, on s'en fabrique une. Mes amis sont plus que ça, ce sont mes vraies-fausses sœurs et mon vrai-faux frère. Ils étaient tous là au bout du fil, à me raconter ce qui s'est passé de croustillant depuis mon départ. Plus sensationnel encore que ce Grégoire de Catherine, c'est « la fiancée » d'Édouard, le directeur de l'établissement. Elle est venue passer les vacances de Noël et Agnès est certaine qu'elle a dormi dans sa chambre.

— M'enfin ! me dit-elle, il a soixante-treize ans !

— Bon, lui dis-je, ils n'auront peut-être pas beaucoup d'enfants, mais on n'est jamais

trop vieux pour aimer! D'ailleurs, quel âge a-
t-elle, elle?

— C'est une sorte de vieille sorcière.

— Sympa?

— Oui, très sociable et chaleureuse. Elle
n'arrête pas de tripoter notre Édouard et de
lui faire des bisous. Il est rayonnant.

— Ce sont de bonnes nouvelles! L'amour
est toujours une bonne nouvelle!

— Et toi? me demande Bérengère.

— Moi, c'est un peu compliqué de te le
dire au téléphone. J'écris tout dans mon
cahier et vous le lirez quand je reviendrai. Tu
ne perds rien pour attendre, crois-moi!

— Donne quand même un indice!

— Un grand-père pour un jour, un amoureux pour deux jours, un vélo, un volant et
une vocation.

— Tu ne peux pas nous laisser comme ça!

— Permets-moi d'être mystérieuse encore
une petite semaine.

— Mais tu reviens, c'est sûr?

— Rien n'est sûr dans la vie.

Ils savent que j'en resterai là et nous rac-crochons.

Ce sont les derniers êtres humains qui m'adressent la parole ce jour-là. Je me réfugie dans la cabane de l'arbre avec un livre pris au hasard sur l'étagère. C'est comme ça que j'aime lire : au hasard. Une recommandation d'un ami, un cadeau, une trouvaille. Le hasard veut que ce livre soit en français avec une éti-quette marquée «Ex–libris : Perle Pélissier». Son titre : *À l'ombre des jeunes filles en fleurs.*

28 décembre (Boire)

C'est la voix tonitruante de Jeremiah qui me réveille avec son :

— *Okay, okay !* Ça suffit ! La vie n'est pas faite pour rester au lit. Nous aurons bien le temps de dormir dans nos tombes.

Sympa, de bon matin, d'être rappelée à ma condition de denrée périssable !

— *Okay, okay !* Assez pleuré. Debout, ma petite !

— Si tu me dis ce que la vie n'est pas, dis-moi aussi ce que la vie EST.

— Elle est ce ciel bleu que tu verrais si tu daignais te lever. Et, de temps en temps, il y a un nuage, ou une foule de nuages pour ponctuer nos vies. Parfois aussi il pleut des larmes pour nous rappeler que la vie ne dure pas éternellement et qu'il faut profiter de l'instant présent.

— *Okay, okay !* dis-je.

C'est moi qui le dis !

— Tu entends ? Je commence à parler comme toi ! Je rentrerai en France et, au lieu de dire « bonjour » et « au revoir » et « comment ça va ? », je vais dire « *okay* » du matin au soir !

— Parce que tu penses que je vais te laisser rentrer en France ? Non, *c'mon, c'mon !* J'ai besoin de toi. Je n'ai aucun ouvrier ce matin.

— Même pas Jimmy ?

— Personne ! Je pense qu'ils m'ont tous laissé tomber pour la bouteille.

— Quelle bouteille ?

— Vin, whisky, vodka, bière, gin...

— Tous ?

— Oui, je les recrute parce que personne d'autre ne veut d'eux. C'est un plan pour aider les alcooliques.

— C'est bien, ça. C'est astucieux. Ça permet d'avoir une vie palpitante, avec les alcoolos qui tombent du toit et des échelles, et qui se coupent les membres au lieu du bois.

— Hélas !

— Pourquoi tu fais ça, alors ?

— J'essaie tant bien que mal — enfin, nous essayons tous, après tout — d'être utile. N'est-ce pas ? D'aider d'autres êtres humains à surmonter leurs problèmes ? Sans travail, ils sont morts.

— Et ça marche ?

— Il ne faut pas me demander ça aujourd'hui !

— En tout cas, ça leur fait des sous pour acheter à boire.

— Quelque chose comme ça !

— Jimmy a l'air si gentil, pourtant...

— Gentil, oui, avec un cerveau noyé dans l'alcool. Il tient deux semaines, trois semaines et puis il sort avec sa bande et il rechute.

— Il m'a embrassée...

Ce scoop est parti sans que je m'en rende compte.

— Je suis au courant.

— Je crois que je l'aime.

— Tu aimes l'embrasser, ça ne veut pas dire que tu l'aimes. On n'est pas obligé d'aimer la première personne qu'on embrasse!

— On ne peut pas embrasser sans aimer!

— Si tu ne m'aimes pas, ne m'embrasse pas!

— Ça veut dire quoi?

— C'est ma mère qui le disait.

— Et alors?

— Alors trois choses: 1) l'alcoolisme est une maladie contagieuse; 2) un ivrogne ne peut s'empêcher de faire du mal, à lui-même et aux autres; 3) laisse tomber!

— Alors, toi tu peux les aider mais pas moi?

— Tu ne peux pas changer quelqu'un. Tu peux lui faire enlever les anneaux qu'il a au nez, mais pas le dispositif détraqué qui siège dans son cerveau. Il n'y a que lui seul qui peut s'en débarrasser et s'aider.

Nous marchons vers le chantier. Je ne dis plus rien. J'ai perdu mon «grand-père» et maintenant je suis en train de perdre le seul amoureux que j'aie jamais eu. Mon cœur ressemble à ce ciel menaçant.

Mais Jeremiah me donne ses instructions et ensuite, je suis trop occupée à m'efforcer de les suivre pour penser à autre chose. Il est très bon prof. Il me donne des indications claires et concises avec juste la bonne dose d'encouragement pour que j'y prenne goût. Qui l'eût cru?

Nous travaillons comme ça, sans même un arrêt pour manger, jusqu'au moment où le soleil, qu'on n'a pas vu de la journée, s'éteint.

Puis, après la douche, toujours sans un mot, Jeremiah me donne les clefs de sa voiture et je le conduis à un bar sorti tout droit d'un western. Conduire commence à être pour moi une seconde nature!

Je mâche mon hamburger et je croque mes frites avant de remarquer Jimmy, là-bas, à l'autre bout du bar, qui parle très fort et qui commence à se déshabiller.

Il ne viendra sans doute pas au travail demain.

29 décembre (S'inscrire)

En route pour une destination mystérieuse. Jeremiah a déclaré la journée chômée pour cause de pénurie d'ouvriers.

– C'est toujours comme ça entre Noël et le Nouvel An!

Comme il vit hors du temps, hors des fêtes, hors normes, il ne comprend pas que c'est une période spéciale. Il pense que Noël est un complot contre lui.

– Il faut finir le toit avant les pluies.

Fidèle et fiable, il s'indigne de ce que tout le monde ne soit pas comme lui. Il est en train de vitupérer quand il se gare devant un bâtiment qui s'avère être le lycée *Bear River High School* de sa petite ville. Lycée moderne

et voire postmoderne : un monument archi-
tectural sur un campus avec des pelouses et
même un golf. Tout à fait le Club Med.

Jeremiah a rendez-vous avec le principal
pour déterminer mon niveau. À quinze ans, je
devrais être un « sophomore », mais mon
presque grand-père pense que je vaux plus.
Après l'entrevue avec cette femme très affable
et toute contente de rencontrer une Française
parce qu'elle a passé deux jours à visiter
Cannes, Monte-Carlo, Nice, Èze et la Pro-
vence, il en est sûr.

— Clara, me dit-elle comme si elle me
connaissait depuis toujours, ton anglais est
étonnant. Veux-tu passer ce petit test de maths
pendant un quart d'heure ?

J'adore ça. Mes amis trouvent que je suis
folle mais j'aime les examens. Quand il
s'agit de faire remonter à la surface tout son
savoir et de mobiliser sa concentration, son
énergie pour distiller des réponses, je suis
aux anges. Je ne vois pas l'utilité de subir ce

test précis, mais j'y vais. J'aurais pu le faire en CM1!

La dame corrige rapidement par machine les QCM. Et puis elle s'exclame:

— Tu es hors catégorie. Mais où te placer? Au moins chez les seniors, dernière année du lycée.

Elle donne à Jeremiah la liste de documents dont elle aurait besoin pour m'inscrire et nous nous en allons guillerets.

— Je t'achèterai une petite voiture pour y aller. On peut conduire seul à seize ans. D'ici là, je t'accompagnerai tous les jours.

J'ai beaucoup de peine, mais je ne peux pas le laisser dans son illusion.

— Je ne peux pas rester.

Il arrête la voiture sur le bas-côté de la route et me regarde.

— Tu vas faire comme ta grand-mère qui l'a regretté toute sa vie? Toutes les Françaises sont donc obligées de me quitter?

À nouveau ses yeux s'humectent. Je n'ai

jamais rencontré un homme si émotif. Je le prends dans mes bras comme un bébé qui vient de se faire un gros bleu.

— Tu l'as dit toi-même: on ne peut pas transplanter un arbre méridional dans l'Arctique.

— C'est presque le même climat ici que chez toi.

— C'est vrai, mais je parle du climat linguistique, social et culturel. Je parle de mes amis avec qui j'ai grandi. Je parle du peu de racines que j'ai. Surtout, il faut que j'aille au bout de mes études. Il faut au moins que je passe le bac.

— Je sais, je sais. J'ai rêvé... j'ai rêvé. Je sais qu'il faut que tu rentres.

Il reprend la route.

Il est tellement seul — je ne lui ai vu aucun ami. Il vit avec son projet et le réalise seul. Ses enfants sont loin. Heureusement qu'il est un grand lecteur. Il y a bien une télé, mais il ne l'allume jamais. Il est très occupé, mais sa

vie semble vide. Qu'est-ce qu'une vie sans
amis?

— Tu pourrais venir me voir aux prochaines vacances! dis-je, inspirée. Tu m'as dit
que tu n'as jamais visité la France.

— C'est quand, tes prochaines vacances?

— En février.

— Je viens.

— Adjugé!

Il s'arrête devant un restaurant d'aspect
plutôt chic. Une dame nous attend à une
table.

— Je pensais qu'on allait fêter ton inscrip-
tion.

Dans ma tête, la dame est la candidate
numéro 4 à la main de Jeremiah. J'ai un pincement de jalousie. Je n'ai jamais appris à par-
tager.

— Je te présente ma sœur, Caroline. Caroline, Clara.

Il ne cessera donc jamais de me sur-
prendre! Enfin, je savais qu'il avait une sœur.

On remarque, à les voir ensemble, une certaine affection, mais distante et un peu hargneuse. C'est sa petite sœur, de dix ans sa cadette. Je ne vois rien de mieux au monde que d'avoir une sœur. «Sœur», ça rime avec «cœur».

Elle est gentille avec moi, même si elle n'arrête pas de répéter à Jeremiah «Oh, toi alors!» d'un ton agacé.

Dans la voiture de nouveau, il m'explique qu'elle est fâchée avec lui parce qu'il n'a jamais réussi à lui donner une belle-sœur convenable.

— Elle m'accuse d'être pessimiste comme le Jérémie original.

— Le prophète inventeur des jérémiades?

— Tu connais?

— Oui, on a eu un cours sur la Bible.

Je me rappelle quelques passages qu'un prof cinglé nous a fait avaler par cœur. J'en récite un en français, bien qu'il ne comprenne pas: «Du plus petit au plus grand, ce sont tous des profiteurs; du prophète jusqu'au prêtre, ce sont tous des fauteurs de mensonge. Ils traitent à la légère le désastre de mon peuple, en disant : la paix, la paix ! et il n'y a pas de paix. »

Jeremiah frime aussi avec la Bible, lui en anglais : « Maudit soit l'homme qui se fie à l'humain et a fait de la chair le principe de sa force, tandis que de Iahvé son cœur se détourne. Il sera comme un genévrier dans la steppe et il ne verra pas arriver le bonheur. »

— Toujours le bonheur. C'est quoi déjà ?

— C'est ce moment où je suis encore avec toi.

— Oui, ce moment où l'on est ensemble.

— Le bonheur donc, ce sont des moments où tout est parfait, et auxquels on ne changerait rien.

— On est d'accord !

30 décembre (Marteler)

La fête doit continuer chez les charpentiers de Jeremiah car le chantier est désert. Il est donc seul en haut d'une échelle. Je le vois de ma forteresse dans l'arbre et je descends lui donner un coup de main. Je suis moins nulle que je ne le croyais. Avec un bon professeur et beaucoup de bonne volonté, on peut tout apprendre.

Nous travaillons ensemble comme un seul homme, dans le plus parfait silence. La journée se passe au rythme des tap-tap des marteaux. Il y a beaucoup à faire pour construire une maison. Un jour, j'aimerais entreprendre la construction de mon propre «*home sweet home*».

Je suis en nage et chacun de mes muscles m'est une douleur. Je prends un bain qui bat des records de durée. Ensuite, nous engouffrons un bon poulet rôti avec des pommes de terre au four et puis Jeremiah me dévoile un talent insoupçonné : il sort son violoncelle de son étui et me joue des suites de Bach en s'excusant : il n'a pas joué depuis des années.

Ça aussi, c'est le bonheur !

31 décembre (Cuisiner)

Il a sauté Noël, mais il s'occupe activement du Nouvel An. Jeremiah entre dans la cuisine avec de grands sacs remplis de provisions. En posant tout ça, il m'annonce qu'il a organisé un grand réveillon.

— J'invite mes ouvriers, mes voisins et ma chérie.

— Ta quoi?

— Ma chérie! (Il le dit en français.)

— Où la caches-tu?

— Sous le lit!

— *C'mon*, Jeremiah. Pourquoi je n'ai pas entendu parler d'elle?

— Tout homme a droit à son jardin secret!

— Raconte..., c'est qui, c'est quoi?

— Une femme que j'ai rencontrée.

– La future quatrième Mme Barbe-Bleue?

– On verra.

– Tu es incorrigible!

– Eh oui, ma poupée! On est vivant tant qu'on se trompe et qu'on continue à faire des gaffes.

– Et le menu?

– Spaghettis!

– Spaghettis pour un réveillon?

Je suis véritablement consternée.

– Oui, ma poule. Avec ma sauce aux truffes!

Il est de bonne humeur.

– Et moi je fais quoi?

– Toi tu observes le maestro! Tu peux prendre des notes.

Je réussis quand même à introduire des canapés et une île flottante géante dans son menu «traditionnel».

Les invités arrivent. Parmi eux, Jimmy. Il se rue sur moi, un livre à la main.

— Je l'ai fini. C'est très bien.

C'est *Bandini*.

«Tu vois, Jeremiah, on peut changer les gens. Il faut juste les faire lire!» je lui parle dans ma tête.

— J'ai même lu la suite.

Il me tend un paquet-cadeau qui contient un autre livre de John Fante.

— Alors, tu lis au lieu de venir travailler! ronchonne Jeremiah le casse-couilles.

— *Tis the season to be jolly!*

— Tra-la-la-la-la, la-la, la-la! Je t'ai vu au bar.

— Je ne t'ai pas vue, moi...

— Tu étais trop occupé.

— Occupé à penser que je t'aime! proclame-t-il en me prenant par la taille.

— Qu'est-ce que ça veut dire?

— Que je te veux!

— Comme un gamin veut le garage à camions dans la vitrine de Noël.

— Comme un homme veut une femme.

— C'est-à-dire autant qu'une canette de bière?

— Ça, c'est un autre problème.

— Quel problème?

— Je suis alcoolique.

— Ça se guérit.

— On verra.

— Quand?

— Quand quoi? me demande-t-il. Quand est-ce que j'aurai le droit d'embrasser la princesse française?

— Quand je reviendrai au printemps. Tu veux des spaghettis?

— Spaghettis? Après un bisou.

— Mange d'abord, après on aura un bisou dégoulinant de sauce aux truffes. Mmmammm!

Jeremiah vient vers moi, tenant par le bras une dame à cheveux blancs qui sourit trop, qui a des grosses fesses et un ventre assorti, quelques mentons au surplus. À son crédit, elle n'essaie pas de dissimuler toutes ses richesses de chair.

Au contraire, elle a une robe moulée. Ses seins débordent. Oh, que j'aimerais que les miens fassent pareil !

Je jette à Jeremiah un regard qui signifie : « Où as-tu été chercher ça ? »

Ses yeux me renvoient un « Que veux-tu ! Je ne suis pas jeune non plus ! ».

C'est vrai, je ne pense plus à son âge, tellement il est actif, et tonique, et doué, et fort.

— Voici Brigitte, me dit-il.

— Un nom français, constaté-je.

— Eh oui, je suis française, me répond Brigitte.

Jeremiah ne cessera jamais de rechercher sa Française ! Ça me fait plaisir de papoter en français. Je me demande pourquoi il me l'a cachée jusqu'à l'avant-dernier jour !

— Je reviens de Paris où j'ai passé deux semaines avec ce qu'il me reste de famille.

Miracle : on pose une question et voilà la réponse.

Brigitte nous aide à servir les spaghettis, les desserts et tout se passe bien. C'est mon premier réveillon aux spaghettis!

Et puis la porte s'ouvre et la danseuse du ventre entre sur une musique déclenchée par Jeremiah. Ça fait sensation. Elle ondule au milieu de la foule, choisissant tel ou tel homme pour danser avec elle. Elle me tape sur l'épaule et me tend un paquet.

– Va t'habiller! me chuchote-t-elle.

Une carte est épinglée sur le costume: «Il faut toujours avoir un peu d'Orient dans le sang. J.» Je suis une princesse à moitié nue, mais nudité richement vêtue.

Je crée la seconde sensation du jour en suivant les rythmes envoûtants de mes pas incertains. J'aimerais continuer les leçons.

Je désigne Jimmy pour venir danser avec moi. Il est déjà suffisamment ivre pour suivre.

Et, à la fin de la soirée, je lui fais deux bisous sur les joues, et il s'en contente.

Plus tard, j'ai un pincement au cœur quand Jeremiah me souhaite bonne nuit et bonne année et s'enferme dans sa chambre... avec Brigitte.

1er janvier (Boucler)

Tout est propre et rangé quand je me réveille. Tant mieux. Le ménage c'est pas mon truc, je ne serai jamais douée pour ça. Ça doit être génétique. Mais il faut affronter Brigitte en robe de chambre. C'est elle la *« sexy froggy »*. Je n'aime pas voir leur échange de regards coquins ou la main de Jeremiah sur sa cuisse sous la table.

— *Happy new year!* lancent-ils à l'unisson.

— *Okay, okay,* dit Jeremiah. On va passer la nuit à San Francisco. Je vais te montrer la ville avant ton départ.

— Qui, on?

— Toi et moi! Brigitte ne peut pas venir.

Heureusement, mon «ouf» intérieur réussit à rester intérieur.

— Tu as besoin d'aide, pour faire ta valise?

— Seulement si tu y mets le vélo et ta voiture, et les restes de spaghettis. C'était délicieux.

— Tout ça t'attendra ici quand tu veux. Et moi avec!

— Bon, j'ai combien de temps avant le départ?

— Combien te faut-il?

— Je voudrais dire au revoir à la cabane.

— *Okay, okay.* Fais ta valise et rendez-vous dans la cabane dans une heure?

— Parfait.

— Pas la peine de faire le lit, on s'en occupera.

— Qui, on?

— Moi. Et ce sera mon travail d'amour et de deuil.

Dans la cabane, je fais le bilan de mon séjour dans une «famille américaine». Si une famille se mesure à son climat, à sa tendresse, à la sympathie qui y règne, j'en ai trouvé une. Ce n'est pas ce que je pensais, c'est sûr. Mais qui aurait pu imaginer que je puisse conduire un vélo et une voiture? Qui aurait deviné que je deviendrais danseuse du ventre? Qui pourrait concevoir d'embrasser un arbre? Et un homme aussi! Et surtout, qui aurait cru que j'apprendrais à planter des clous, à scier du bois, à construire une maison (en partie!)? Et comment expliquer ce sentiment de liberté, dans cette cabane de l'arbre?

Jeremiah arrive avec une boîte à outils, comme s'il allait réparer quelque chose.

Je pointe mon index sur mon poignet pour lui rappeler l'heure. S'il se met à bricoler, je loupe l'avion. Et l'avion, il n'y en a qu'un demain!

— C'est pour toi, dit-il. Tout ce qu'une femme doit avoir pour survivre dans notre monde cruel.

Il ouvre la boîte et je vois que ce sont vraiment des outils.

– Certains me viennent de mon père, ajoute-t-il.

Chaque outil a une étiquette :

« un niveau pour toujours garder ton équilibre »

« une clef pour comprendre »

« une scie pour couper l'inutile »

« des tenailles pour arracher la vérité »

« un pinceau pour vernir ton monde »

« un mètre pour mesurer l'important »

« une lampe de poche pour éclairer ton chemin »

« une équerre pour vérifier que tu es droit et carré »

« un marteau… pour marteler la liberté »

– Un marteau pour quoi ?

Et là, Jeremiah se met à chanter : *« If I had a hammer, I'd hammer out freedom ! »*

Je retrouve le garçon aux mails que j'ai adoré avant ma venue. Il est certainement un homme digne de ma grand-mère. Et j'ai de la chance de le connaître! Vu les circonstances, j'avais oublié de lui donner mon cadeau de Noël.

Il enfile ce pull en cachemire tricoté dans tous les tons de bleu.

— Je n'ai jamais rien reçu d'aussi beau.

Il a de nouveau l'œil humide, et moi aussi.

Ce n'est que le premier adieu.

2 janvier (Donner)

Il me conduit à travers San Francisco. Cela monte et descend comme les montagnes russes. On parcourt Chinatown en s'arrêtant pour manger à *The Empress of the Orient*. Bon, ce n'est pas la peine de répéter les guides de la ville. Il suffit de dire que nous sommes des touristes parfaits et on fait tout, tout, tout. Je suis plus fatiguée que Jeremiah, qui ne se fatigue jamais, même après une crise cardiaque!

Et comme si San Francisco ne suffisait pas, il fait la course vers la côte Sonoma pour que je respire l'air du Pacifique et que je voie la splendeur des paysages. J'aimerais lui montrer la Côte d'Azur. Et la Corse!

Nous dormons dans une auberge en bord de mer avant de nous diriger tout doucement vers l'aéroport de San Francisco. Nous sommes tous les deux muets.

Jeremiah m'accompagne jusqu'au dernier contrôle de sécurité et reste debout à agiter la main et à m'envoyer des baisers. Avant de se séparer, il m'a donné l'horaire de son vol pour Nice en février en disant: «Il faut toujours prévoir la prochaine fois.»

Je le caresse du regard. L'amour qu'il professe pour moi est tellement émouvant. Je suppose que ça doit être comme cela quand on a des parents. Ils vous aiment avec chaque fibre de leur être. Il m'a promis de penser à moi tous les jours et toutes les minutes, de s'inquiéter pour moi. Que c'est bon que quelqu'un se soucie de moi! Et je le crois!

À travers la vitre, je lui dis sans qu'il m'entende: «Je t'aime!» Ce n'est pas facile à dire et je ne sais pas ce que ça signifie, mais ce sont les seuls mots que je veux lui donner.

Je lui montre mon cœur et je lui redis en langue des signes. Puis je lui mime: «On s'écrira!» Et je quitte ma famille américaine.